NAÇÃO DOPAMINA

Dra. Anna Lembke

NAÇÃO DOPAMINA

Por que o **excesso de prazer** está nos deixando **infelizes** e o que podemos fazer para **mudar**

13ª reimpressão

TRADUÇÃO
Elisa Nazarian

VESTÍGIO

Copyright © 2021 Anna Lembke
Copyright desta edição © 2022 Editora Vestígio

Título original: *Dopamine Nation: Finding Balance in the Age of Indulgence*

Todos os direitos reservados pela Editora Vestígio. Nenhuma parte desta publicação poderá ser reproduzida, seja por meios mecânicos, eletrônicos, seja via cópia xerográfica, sem a autorização prévia da Editora.

Esta edição é publicada mediante acordo com Dutton, um selo do Penguin Publishing Group, uma divisão de Penguin Random House LLC.

DIREÇÃO EDITORIAL
Arnaud Vin

EDITORA RESPONSÁVEL
Bia Nunes de Sousa

PREPARAÇÃO DE TEXTO
Bia Nunes de Sousa

REVISÃO
Claudia Vilas Gomes
Julia Sousa

CAPA
Pete Garceau
(sobre fotografia de Steve Fisch)

ADAPTAÇÃO DE CAPA
Diogo Droschi

DIAGRAMAÇÃO
Guilherme Fagundes

Dados Internacionais de Catalogação na Publicação (CIP)
Câmara Brasileira do Livro, SP, Brasil

Lembke, Anna
  Nação dopamina : por que o excesso de prazer está nos deixando infelizes e o que podemos fazer para mudar / Anna Lembke ; tradução Elisa Nazarian. -- 1. ed. ; 13. reimp. -- São Paulo : Vestígio, 2025.

  Título original: *Dopamine Nation : Finding Balance in the Age of Indulgence*
  ISBN 978-65-86551-71-6

  1. Abuso de substâncias 2. Autoajuda 3. Autoconhecimento 4. Comportamento compulsivo 5. Dor 6. Prazer 7. Internet - Aspectos sociais I. Título.

21-95504   CDD-152.4

Índice para catálogo sistemático:
1. Prazer e dor : Equilíbrio : Psicologia 152.4

Maria Alice Ferreira - Bibliotecária - CRB-8/7964

Embora a autora tenha feito todo esforço para fornecer, com precisão, números de telefone, endereços de internet e outras informações de contato à época da publicação, nem a editora nem a autora assumem qualquer responsabilidade por erros ou mudanças que ocorram após a publicação. Além disso, a editora não tem controle nem assume qualquer responsabilidade pelo website da autora ou de terceiros, nem pelo seu conteúdo.

Nem a editora nem a autora têm a intenção de oferecer conselho ou serviço profissional para o leitor individual. As ideias, os procedimentos e as sugestões contidas neste livro não têm a pretensão de ser um substituto para a consulta com o seu médico. Todos os assuntos referentes a sua saúde exigem supervisão médica. Nem a autora nem a editora devem ser responsabilizadas por qualquer perda ou dano supostamente resultante de qualquer informação ou sugestão deste livro.

A **VESTÍGIO** É UMA EDITORA DO **GRUPO AUTÊNTICA**

São Paulo
Av. Paulista, 2.073 . Conjunto Nacional
Horsa I . Salas 404-406 . Bela Vista
01311-940 São Paulo . SP
Tel.: (55 11) 3034 4468

Belo Horizonte
Rua Carlos Turner, 420
Silveira . 31140-520
Belo Horizonte . MG
Tel.: (55 31) 3465 4600

www.editoravestigio.com.br
SAC: atendimentoleitor@grupoautentica.com.br

Para Mary, James, Elizabeth,
Peter e o pequeno Lucas.

9 **Introdução**
O Problema

13 **PARTE I**
A busca do prazer
15 Capítulo 1 – Nossas máquinas masturbatórias
37 Capítulo 2 – Fugindo do sofrimento
51 Capítulo 3 – O equilíbrio prazer-sofrimento

71 **PARTE II**
Autocomprometimento
73 Capítulo 4 – Jejum de dopamina
89 Capítulo 5 – Espaço, tempo e significado
115 Capítulo 6 – Uma balança quebrada?

131 **PARTE III**
A busca do sofrimento
133 Capítulo 7 – Pressionando o lado do sofrimento
161 Capítulo 8 – Honestidade radical
191 Capítulo 9 – Vergonha pró-social

211 **Conclusão**
Lições do equilíbrio

215 **Nota da autora**
217 **Agradecimentos**
219 **Notas**
237 **Índice remissivo**

INTRODUÇÃO

O Problema

> *Sentir-se bem, sentir-se bem, todo dinheiro do*
> *mundo gasto para se sentir bem.*
>
> Levon Helm

ESTE É UM LIVRO SOBRE PRAZER. Também sobre sofrimento. Acima de tudo, é um livro sobre a relação entre o prazer e o sofrimento, e como entender essa relação tornou-se essencial para uma vida bem vivida.

Por quê?

Porque transformamos o mundo de um lugar de escassez em um lugar de imensa abundância: drogas, comida, notícias, jogos, compras, jogos de azar, mensagens de texto, de sexo, do Facebook, do Instagram, do YouTube, do Twitter... Os números crescentes, a grande variedade e o imenso potencial de estímulos altamente compensatórios são atordoantes. O smartphone é a agulha hipodérmica dos tempos modernos, fornecendo incessantemente dopamina digital para uma geração plugada. Se você ainda não descobriu sua droga preferida, ela logo estará em um site perto de você.

Os cientistas consideram a dopamina como uma espécie de moeda corrente universal para a avaliação do potencial adictivo de qualquer experiência. Quanto mais dopamina no sistema de recompensa do cérebro, mais adictiva é a experiência.

Além da descoberta da dopamina, uma das constatações neurocientíficas mais extraordinárias do século passado é que o cérebro processa prazer e sofrimento no mesmo lugar. Ou seja, o prazer e o sofrimento funcionam como dois lados de uma balança.

Todos nós vivenciamos aquele momento de desejar mais um pedaço de chocolate, ou de querer que um bom livro, um bom filme ou video game durasse para sempre. Esse momento de desejo é a balança do prazer do cérebro inclinada para o lado do sofrimento.

Este livro tem como objetivo analisar a neurociência da recompensa e, ao fazê-lo, capacitar-nos a encontrar um equilíbrio melhor e mais saudável entre prazer e sofrimento. Mas a neurociência não basta. Também precisamos da experiência vivida pelos seres humanos. Quem melhor para nos ensinar a superar o consumo desenfreado do que os que lhe são mais vulneráveis: pessoas com adicção.

Este livro baseia-se em histórias reais dos meus pacientes que se viram vítimas de dependência e encontraram maneiras de se livrar dela. Eles me deram permissão para contar suas histórias, para que você possa se beneficiar do discernimento que tiveram, como aconteceu comigo. Talvez você ache algumas dessas histórias chocantes, mas para mim elas são apenas versões extremas do que nós somos capazes. Como o filósofo e teólogo Kent Dunnington escreveu: "Pessoas com dependências graves estão entre aqueles profetas contemporâneos que ignoramos até a morte, porque nos mostram quem realmente somos".[1]

Sejam doces ou compras, voyeurismo ou cigarro eletrônico, seja *feed* de mídia social ou fofoca de WhatsApp, todos nós nos dedicamos a comportamentos que não queríamos ter, ou que até certo ponto lamentamos. Este livro oferece soluções práticas para lidar com o consumo compulsivo desenfreado num mundo onde o consumo tornou-se o motivo abrangente da nossa vida.

Em essência, o segredo para encontrar o equilíbrio é a combinação da ciência do desejo com a sabedoria da recuperação. ■

Este livro oferece soluções práticas para lidar com o consumo compulsivo desenfreado num mundo onde o consumo tornou-se o motivo abrangente da nossa vida.

PARTE I
A BUSCA DO PRAZER

CAPÍTULO 1

Nossas máquinas masturbatórias

FUI RECEBER JACOB NA SALA DE ESPERA. Primeira impressão? Simpático. Tinha 60 e poucos anos, nem gordo, nem magro, rosto suave, mas bonito... envelhecendo muito bem. Usava o uniforme padrão do Vale do Silício: calça cáqui e camisa esporte. Parecia um tipo comum, não alguém que tivesse segredos.

Conforme Jacob me acompanhou pelo curto labirinto de corredores, pude sentir sua ansiedade como ondas rolando às minhas costas. Lembrei-me de quando costumava ficar ansiosa ao levar os pacientes para a minha sala. *Estou andando rápido demais? Estou balançando o quadril? Minha bunda é engraçada?*

Isto parece muito distante, agora. Reconheço que sou uma versão calejada do meu antigo eu, mais estoica, provavelmente mais indiferente. *Eu era uma médica melhor naquela época, quando sabia menos e sentia mais?*

Chegamos à minha sala, e fechei a porta depois de entrarmos. Gentilmente, ofereci-lhe uma das duas cadeiras idênticas, da mesma altura, com almofadas verdes, próprias para terapia, a meio metro uma da outra. Ele se sentou. Eu também. Seus olhos percorreram a sala.

Minha sala tem 3 por 4 metros, duas janelas, uma mesa com computador, um aparador cheio de livros e uma mesa baixa entre as cadeiras. A mesa, o aparador e a mesa baixa são todos feitos com uma madeira marrom-avermelhada. A mesa é de segunda mão, herança do meu antigo chefe de departamento. Está rachada no meio, pelo lado de dentro, onde ninguém mais pode ver, uma metáfora adequada ao trabalho que faço.

Em cima da mesa há dez pilhas separadas de papel, perfeitamente alinhadas, como um acordeão. Disseram-me que isto dá uma aparência de eficiência e organização.

A decoração da parede é uma miscelânea. Os diplomas necessários, a maioria sem moldura. Preguiça demais. Um desenho de um gato que achei no lixo do meu vizinho, peguei por causa da moldura, mas mantive por causa do gato. Uma tapeçaria multicolorida de crianças brincando dentro e em volta de templos, relíquia do tempo em que ensinava inglês na China, nos meus 20 anos. A tapeçaria tem uma mancha de café, mas só é visível se você souber o que está procurando, como um Rorschach.

Há um tanto de bugigangas expostas, em geral presentes de pacientes e alunos. São livros, poemas, ensaios, objetos de arte, cartões-postais, cartões de Natal, cartas, caricaturas.

Um paciente, artista e músico talentoso, me deu uma fotografia que tirou da Golden Gate, sobreposta com notas musicais feitas por ele a mão. Quando fez isso, já não era um suicida, mas é uma imagem triste, toda em cinza e preto. Outro paciente, uma bela jovem constrangida por rugas que só ela via e que nenhuma quantidade de Botox conseguia apagar, deu-me uma jarra de barro para água, grande o bastante para servir dez pessoas.

À esquerda do meu computador, tenho uma pequena gravura de Albrecht Dürer, *Melencolia*. No desenho, a Melancolia, personificada como uma mulher, está sentada em um banco, curvada, cercada pelas ferramentas negligenciadas da indústria e do tempo: um paquímetro, uma balança, uma ampulheta, um martelo. Seu cachorro faminto, com as costelas destacando-se em seu corpo esquálido, espera pacientemente, e em vão, que ela se erga.

À direita do meu computador, um anjo de barro de 12 centímetros, com asas forjadas em arame estica os braços para o céu. A palavra "coragem" está gravada em seus pés. Foi presente de uma colega que estava esvaziando seu consultório. Um anjo de sobra. Vou levar.

Sou grata por esta minha sala. Aqui, fico suspensa no tempo, existindo em um mundo de segredos e sonhos. Mas o espaço também é impregnado de tristeza e anseio. Quando os pacientes abandonam meu consultório, meus limites profissionais proíbem que eu os procure.

Por mais real que seja o nosso relacionamento dentro da minha sala, ele não pode existir fora deste espaço. Se encontro meus pacientes no supermercado, hesito até em cumprimentá-los, por medo de me declarar um ser humano, com necessidades próprias. Imagina! Comer para quê?

Anos atrás, quando fazia residência em psiquiatria, vi meu supervisor de psicoterapia fora da sua sala pela primeira vez. Ele saiu de uma loja, usando uma capa e um chapéu fedora estilo Indiana Jones. Era como se tivesse acabado de sair da capa de um catálogo da J. Peterman. A experiência foi chocante.

Tinha compartilhado com ele muitos detalhes íntimos da minha vida, e ele me aconselhara, como faria com um paciente. Nunca havia pensado nele como alguém que usasse chapéu. Para mim, isso sugeria uma preocupação com a aparência pessoal, o que discordava da versão idealizada que tinha dele. Mas, acima de tudo, deixou-me atenta para o quanto poderia ser desconcertante meus próprios pacientes me verem fora da minha sala.

Virei-me para Jacob e comecei:

– Em que posso ajudar?

Outros começos que desenvolvi com o tempo incluem: "Me diga por que está aqui", "O que te fez vir aqui hoje?" e até "Comece do começo, onde quer que ele tenha início para você".

Jacob olhou-me demoradamente.

– Esperava que você fosse homem – disse com seu encorpado sotaque leste-europeu.

Naquele momento, soube que o assunto seria sexo.

– Por quê? – perguntei, fingindo ignorância.

– Porque pode ser difícil para você, mulher, escutar meus problemas.

– Posso garantir que já escutei quase tudo que há para escutar.

– Veja – ele hesitou, olhando timidamente para mim –, tenho dependência de sexo.

Assenti com a cabeça e me acomodei na cadeira.

– Continue.

Todo paciente é um pacote fechado, um romance não lido, uma terra inexplorada. Certa vez, um paciente descreveu a sensação de escalar uma rocha: quando ele está na parede, nada existe a não ser uma infinita superfície rochosa justaposta à decisão limitada de onde colocar a seguir cada dedo do pé e da mão. A prática da psicoterapia não é diferente de escalar uma rocha. Mergulho na história, na narrativa e na repetição da narrativa, e o restante desaparece.

Escutei muitas variações nas histórias do sofrimento humano, mas a história de Jacob me chocou. O que mais me perturbou foi o que ela sugeria sobre o mundo em que vivemos agora, o mundo onde nossos filhos estão vivendo.

Jacob começou logo com uma lembrança de infância. Sem preâmbulos. Freud teria se orgulhado.

– A primeira vez que me masturbei, eu tinha 2 ou 3 anos – disse. A lembrança era viva para ele; dava para perceber em seu rosto.

– Eu estou na lua – ele prosseguiu –, mas não é realmente na lua. Existe uma pessoa como um deus... e eu tenho uma experiência sexual que não reconheço...

Infiro que *lua* signifique algo como o abismo, nenhum lugar e todos os lugares simultaneamente. Mas e quanto a Deus? Nós não estamos todos almejando algo além de nós mesmos?

Em sua fase escolar, ainda criança, Jacob era um sonhador: botões da roupa fora de ordem, mãos e mangas sujos de giz, o primeiro a olhar pela janela durante as aulas, o último a sair da classe para ir embora. Aos 8 anos, ele se masturbava regularmente. Às vezes sozinho, às vezes com o melhor amigo. Eles ainda não tinham aprendido a sentir vergonha.

Mas, depois da primeira comunhão, ele despertou para a ideia de masturbação como um "pecado mortal". Dali por diante, só se masturbava sozinho e visitava o padre da igreja católica local todas as sextas-feiras para se confessar.

— Eu me masturbo — cochichava pela abertura de treliça do confessionário.

— Quantas vezes? — perguntava o padre.

— Todos os dias.

Pausa.

— Não faça mais isto.

Jacob parou de falar e olhou para mim. Trocamos um leve sorriso de entendimento. Se tais conselhos diretos resolvessem o problema, eu estaria desempregada.

Jacob, o menino, estava determinado a obedecer, a ser "bom", então fechava os punhos e não se tocava ali. Mas sua decisão só durava dois ou três dias.

— Este foi o começo da minha vida dupla — ele disse.

O termo "vida dupla" é tão familiar para mim quanto "elevação do segmento ST" para o cardiologista, "estágio IV" para o oncologista e "hemoglobina A1C" para o endocrinologista. Ele se refere ao envolvimento secreto de um dependente com as drogas, o álcool, ou outros comportamentos compulsivos, escondidos da vista dos outros e até, em alguns casos, deles mesmos.

Ao longo da adolescência, Jacob voltava da escola, ia para o sótão e se masturbava perante um desenho da deusa grega Afrodite que tinha copiado de um livro didático e escondido entre as tábuas do assoalho. Mais tarde, olharia para este período da sua vida como uma época de inocência.

Aos 18 anos, foi morar na cidade com a irmã mais velha, para estudar física e engenharia na universidade local. A irmã passava grande parte do dia trabalhando e, pela primeira vez na vida, ele ficava sozinho por longos períodos. Sentia-se solitário.

– Então, decidi fazer uma máquina...

– Uma máquina? – perguntei, sentando-me um pouco mais reta.

– Uma máquina de masturbação.

Hesitei.

– Entendo. Como ela funcionava?

– Conecto um bastão de metal a um toca-discos. A outra ponta conecto a uma mola de metal, que envolvo com um pano macio. – Ele fez um desenho para me mostrar.

– Coloco o pano e a bobina em volta do meu pênis – disse, pronunciando *pênis* como se fossem duas palavras: *pen*, como "caneta" em inglês, e *ness*, como o Monstro do Lago Ness.

Senti vontade de rir mas, depois de um momento de reflexão, percebi que essa vontade era um disfarce para algo mais: eu estava com medo. Tive medo de que, depois de convidá-lo a se abrir comigo, não fosse capaz de ajudá-lo.

– Conforme o toca-discos vai girando – ele disse –, a mola sobe e desce. Ajusto a velocidade da mola, ajustando a velocidade do toca-discos. Tenho três velocidades diferentes. Assim chego ao limite... muitas vezes sem ultrapassá-lo. Também aprendo que fumar um cigarro ao mesmo tempo me traz de volta do limite, então uso este truque.

Através desse método de microajustes, Jacob conseguia se manter num estado de pré-orgasmo durante horas.

– Isso – ele disse, confirmando com a cabeça –, muito viciante.

Jacob masturbava-se várias horas por dia, usando sua máquina. Para ele, o prazer era inigualável. Jurava que iria parar. Escondia a máquina no alto de um armário, ou desmontava-a completamente, jogando fora as peças. Mas um ou dois dias depois, pegava as peças no armário, ou as tirava da lata de lixo, remontava-as e recomeçava.

Talvez você sinta repulsa pela máquina de masturbação de Jacob, como senti na primeira vez em que ouvi falar nela. Talvez você a considere uma espécie de perversão extrema, além da experiência cotidiana, com pouca ou nenhuma relevância para você e a sua vida.

Mas se fizermos isso, você e eu, perderemos a oportunidade de apreciar algo crucial sobre a maneira como vivemos agora. De certa maneira, estamos todos envolvidos em nossas próprias máquinas masturbatórias.

Quando eu tinha uns 40 anos, desenvolvi uma ligação insalubre com romances baratos. A porta de entrada para essa droga foi *Crepúsculo*, um romance paranormal sobre vampiros adolescentes. Me sentia bem constrangida por estar lendo aquilo, mais ainda por admitir que estava fascinada pelo livro.

Crepúsculo bate naquele ponto entre uma história de amor, suspense e fantasia, a escapatória perfeita para mim, que fazia a curva para a meia-idade. Eu não estava só. Milhões de mulheres da minha idade estavam lendo e se entusiasmando com *Crepúsculo*. Não havia nada incomum no fato em si de eu estar envolvida com um livro. Toda a minha vida, fui leitora. O diferente foi o que aconteceu a seguir. Algo que eu não podia justificar com base em propensões passadas ou circunstâncias de vida.

Quando terminei *Crepúsculo*, devorei todos os romances de vampiros em que pus a mão, e depois passei para lobisomens, fadas, bruxas, necromantes, viajantes no tempo, videntes, leitores de mentes, manipuladores de fogo, cartomantes, mestres das pedras... você entendeu. A certa altura, as histórias de amor dócil já não satisfaziam, então saí em busca de versões cada vez mais gráficas e eróticas da clássica fantasia de um amor romântico.

Lembro-me de ter me chocado com a facilidade de achar cenas ilustradas de sexo logo ali, nas prateleiras de ficção em geral, na biblioteca do meu bairro. Fiquei preocupada de que meus filhos tivessem acesso àqueles livros. A coisa mais ousada na biblioteca local, quando era criança no Meio-Oeste, era *Are You There, God? It's Me, Margaret**.

As coisas tomaram maiores proporções quando, incentivada por minha amiga adepta da tecnologia, comprei um Kindle. Não era mais preciso esperar a entrega de livros vindos de outra sucursal da biblioteca, ou esconder capas de livros eróticos atrás de publicações médicas, principalmente quando meu marido e meus filhos estavam por perto. Agora, com dois toques e um clique, eu tinha qualquer livro que quisesse de imediato, em qualquer lugar, a qualquer hora: no metrô, no avião, esperando que cortassem o meu cabelo. Podia percorrer, com a mesma facilidade, *Febre negra*, de Karen Marie Moning, e *Crime e castigo*, de Dostoiévski.

Em resumo, tornei-me uma leitora inveterada de romances estereotipados do gênero erótico. Assim que terminava um e-book, passava para o próximo: lia em vez de socializar, lia em vez de cozinhar, lia em vez de dormir, lia em vez de prestar atenção no meu marido e nos meus filhos. Tenho vergonha de admitir que uma vez levei meu Kindle para o trabalho e li entre as sessões com meus pacientes.

Procurava opções cada vez mais baratas, até chegar às gratuitas. Como todo traficante, a Amazon sabe o valor de uma amostra grátis. De vez em quando, eu descobria um livro de boa qualidade que acontecia de estar barato, mas, na maioria das vezes, eram realmente horrorosos, baseados em estratagemas velhos para os enredos e personagens sem vida, cheios de erros tipográficos e gramaticais. Mas eu os lia mesmo assim, porque procurava, continuamente, um tipo de experiência muito específico. Como conseguir isso tinha cada vez menos importância.

Queria satisfazer aquele momento de tensão sexual crescente que finalmente se resolve quando o herói e a heroína se atracam.

---

* A autora faz referência a um livro de Judy Blume, em que uma menina tenta se adaptar em sua nova cidade, mas choca as amigas por, supostamente, não ter religião. Ao longo do livro, são abordados problemas comuns de uma adolescente. (N. T.)

Já não me importava com sintaxe, estilo, cena ou personagem. Só queria minha dose, e aqueles livros, escritos segundo uma fórmula, eram feitos para me fisgar.

Cada capítulo terminava com um clima de suspense, e os próprios capítulos eram projetados em direção a um clímax. Comecei a disparar pela primeira parte do livro, até chegar ao clímax, e não me preocupava em ler o resto depois que passava. Agora, estou tristemente de posse do conhecimento de que, se você abrir qualquer romance barato passados uns três quartos do seu conteúdo, chega ao ponto crucial.

Depois de cerca de um ano nessa minha nova obsessão com romances baratos, vi-me acordada às duas da manhã, num dia de semana, lendo *Cinquenta tons de cinza*. Racionalizei ser uma versão moderna de *Orgulho e preconceito*, até chegar à parte de "plugues anais", e tive um breve insight de que ler sobre brinquedos sexuais sadomasoquistas de madrugada não era a maneira como queria passar o meu tempo.

A definição genérica de *adicção* é o consumo contínuo e compulsivo de uma substância ou um comportamento (jogos, video game, sexo), apesar do mal que fazem para a pessoa e para os outros.

O que aconteceu comigo é trivial se comparado à vida daqueles com dependências ultrapoderosas, mas revela o crescente problema do consumo compulsivo desenfreado com que nos deparamos hoje, mesmo quando temos uma vida boa. Meu marido é gentil e amoroso, tenho filhos ótimos, um trabalho relevante, liberdade, autonomia e certa riqueza, sem traumas, deslocamento social, pobreza, desemprego, ou outros fatores de risco para a dependência. Ainda assim, fui compulsivamente me recolhendo cada vez mais em um mundo de fantasia.

▶ O lado sombrio do capitalismo

Aos 23 anos, Jacob conheceu e se casou com sua esposa. Os dois se mudaram para o apartamento de três cômodos onde ela vivia com os pais, e ele abandonou sua máquina, esperando que fosse para sempre. Ele e a esposa inscreveram-se para conseguir um apartamento próprio, mas souberam que a espera seria de 25 anos. Na década de 1980, isto era comum no país do Leste Europeu onde viviam.

Em vez de se submeterem a décadas morando com os pais dela, eles decidiram ganhar um dinheiro extra e separá-lo para comprar seu próprio canto mais cedo. Começaram um negócio por computador, importando máquinas de Taiwan, juntando-se à crescente economia informal.

O negócio prosperou, e logo eles ficaram ricos pelos padrões locais. Adquiriram uma casa e um pedaço de terra. Tiveram dois filhos, um menino e uma menina.

Sua trajetória ascendente parecia garantida, quando Jacob recebeu uma oferta para trabalhar como cientista na Alemanha. Eles se atiraram à chance de se mudar para o Ocidente, de ele progredir em sua carreira, de proporcionar às crianças todas as oportunidades que a Europa Ocidental podia oferecer. A mudança trouxe-lhes oportunidades, com certeza, mas nem todas boas.

— Depois que nos mudamos para a Alemanha, descubro a pornografia, filme pornôs, shows ao vivo. A cidade onde moro é conhecida por isto, e não consigo resistir. Mas dar um jeito. Dar um jeito durante dez anos. Trabalho como cientista, trabalho duro, mas em 1995 tudo muda.

— O que mudou? — perguntei, já adivinhando a resposta.

— A internet. Eu *ter* 42 anos e estar indo bem, mas com internet, minha vida começa a despencar. Certa vez, em 1999, eu *estar* no mesmo quarto de hotel que já havia estado talvez cinquenta vezes. Eu *ter* grande conferência, fala importante no dia seguinte. Mas fico acordado a noite toda assistindo pornô, em vez de preparar minha fala. Chego na conferência sem dormir e sem palestra. Faço discurso muito ruim. Quase perco emprego. — Ele abaixou os olhos e sacudiu a cabeça, lembrando-se.

— Depois daquilo, começo um novo ritual — ele disse. — Sempre que vou a um quarto de hotel, coloco notas adesivas por toda parte, no espelho do banheiro, na TV, no controle remoto, dizendo "Não faça isto". Não faço até um último dia.

Fiquei chocada com o quanto os quartos do hotel são como uma caixa de Skinner* moderna: uma cama, uma TV, um minibar. Nada para fazer senão pressionar a alavanca para receber a droga.

Ele tornou a baixar os olhos e o silêncio alongou-se. Dei-lhe tempo.

– Foi então que pensei, pela primeira vez, em acabar com a minha vida. Acho que o mundo não vai sentir a minha falta, e talvez fique melhor sem mim. Fui até a sacada e olhei para baixo. Quatro andares... Seria o suficiente.

Um dos maiores fatores de risco para se tornar dependente de qualquer droga é o fácil acesso a ela. Quando a obtenção da droga é mais fácil, nossa probabilidade de experimentá-la aumenta. Depois de experimentá-la, ficamos mais propensos a nos tornarmos dependentes dela.

A atual epidemia de opioides nos Estados Unidos é um exemplo trágico e irrefutável deste fato.[1] A quadruplicação de opioides prescritos nos Estados Unidos (oxicodona, hidrocodona, fentanil) entre 1999 e 2012, aliada à sua ampla distribuição em cada canto da América, levou a taxas crescentes de dependência de opioides e de mortes relacionadas.

Uma força-tarefa designada pela Associação de Escolas e Programas de Saúde Pública (Association of Schools and Programs of Public Health, ASPPH) publicou um relatório em 1º de novembro de 2019 concluindo que: "A tremenda expansão do suprimento de fortes opioides vendidos sob receita médica (de alta potência,

---

* Caixa de Skinner ou câmara de condicionamento operante é um espaço fechado para o estudo do comportamento de animais, geralmente ratos, mediante o acionamento de uma chave ou alavanca para receber determinada "recompensa". (N. T.)

bem como de efeito prolongado) levou ao aumento em escala da dependência desses opioides e à transição de muitos para opioides ilícitos, incluindo fentanil e seus análogos, o que levou a um aumento exponencial de overdoses".[2] O relatório também afirmou que o transtorno do uso de opioides "é causado pelas repetidas exposições a opioides".[3]

Da mesma maneira, a diminuição do fornecimento de substâncias adictivas diminui a exposição e o risco de dependência e males relacionados. Um experimento natural no século passado, para testar e provar esta hipótese, foi a Lei Seca, um banimento constitucional de alcance nacional sobre a produção, a importação, o transporte e a venda de bebidas alcoólicas nos Estados Unidos de 1920 a 1933.

A Lei Seca levou a uma redução acentuada do número de consumidores e potenciais dependentes do álcool.[4] As taxas de embriaguez pública e de incidência de doenças hepáticas relacionadas ao álcool caíram pela metade durante esse período, na ausência de novos remédios para tratar dependência.

Claro, houve consequências imprevistas,[5] como a criação de um grande mercado clandestino a cargo de gangues criminosas, mas o impacto positivo da Lei Seca no consumo de álcool e a morbidez a ele relacionada é amplamente subestimado.

Os reduzidos efeitos da bebida, resultantes da Lei Seca, persistiram nos trinta anos subsequentes. Na década de 1950, à medida que o álcool passou a ser, novamente, mais acessível, seu consumo aumentou progressivamente.

Na década de 1990, a porcentagem de estadunidenses que bebiam álcool aumentou quase 50%, enquanto a bebedeira de alto risco aumentou 15%. Entre 2002 e 2013, a dependência alcoólica diagnosticável subiu 50% nos adultos mais velhos (acima de 65 anos) e 84% nas mulheres, dois grupos demográficos que antes eram relativamente imunes a esse problema.[6]

Sem dúvida, o acesso mais amplo não é o único risco para dependência. O risco aumenta se temos pai, mãe, avô ou avó biológicos adictos, mesmo quando somos criados fora do lar dos dependentes. A doença mental é um fator de risco, embora a relação entre ela e a adicção não esteja clara.[7] A doença mental leva ao uso de drogas, o uso de drogas causa ou revela a doença mental, ou a coisa está entre uma e outra?

O trauma, a revolta social e a pobreza contribuem para o risco da dependência; as drogas passam a ser um meio de lidar e conduzir a mudanças epigenéticas – mudanças transmissíveis às cadeias de DNA fora dos pares básicos herdados –, afetando a expressão genética tanto no indivíduo quanto em sua prole.

Apesar desses fatores de risco, o maior acesso a substâncias adictivas pode ser o fator de risco mais importante para as pessoas modernas. O suprimento criou demanda, uma vez que todos nós caímos presas do vórtice de um uso compulsivo desenfreado.

Nossa economia de dopamina, o que o históriador David Courtwright chamou de "capitalismo límbico",[8] está conduzindo esta mudança, auxiliada pela tecnologia transformadora que aumentou não apenas o acesso, como também o número, a variedade e a potência das drogas.

A máquina de enrolar cigarros, por exemplo, inventada em 1880, tornou possível passar de quatro cigarros enrolados por minuto para o impressionante número de 20 mil.[9] Atualmente, são vendidos no mundo 6,5 trilhões de cigarros por ano, traduzidos para aproximadamente 18 bilhões de cigarros consumidos por dia, responsáveis por um número estimado de 6 milhões de mortes no mundo.

Em 1805, o alemão Friedrich Sertürner, enquanto trabalhava como aprendiz de farmácia, descobriu o analgésico morfina – um opioide alcaloide dez vezes mais potente do que seu precursor, o ópio. Em 1853, o médico escocês Alexander Wood inventou a seringa hipodérmica. Essas duas invenções contribuíram para centenas de registros, em publicações médicas do final do século 19, de casos iatrogênicos (iniciados pelo médico), de dependência à morfina.[10]

Numa tentativa de encontrar um analgésico opioide menos adictivo em substituição à morfina, os químicos vieram com um composto totalmente novo, a que denominaram "heroína", de *heroisch*, palavra alemã para "corajoso". A heroína revelou-se de duas a cinco vezes mais potente do que a morfina e abriu caminho para a narcomania do início dos anos 1900.

Hoje em dia, os potentes opioides de categoria farmacêutica, tais como a oxicodona, a hidrocodona e a hidromorfona estão disponíveis em todas as formas imagináveis: pílulas, injeções, adesivos, spray nasal. Em 2014, um paciente de meia-idade veio ao meu consultório chupando um pirulito de fentanil vermelho-vivo. O fentanil, um opioide sintético, é de cinquenta a cem vezes mais potente do que a morfina.

Além dos opioides, hoje muitas outras drogas são também mais potentes do que no passado. Os cigarros eletrônicos – chiques, discretos, sem cheiro, com sistemas de disponibilização de nicotina recarregável – leva a taxas mais altas de nicotina no sangue em períodos mais curtos de consumo do que os cigarros tradicionais. Eles também vêm em inúmeros sabores destinados a atrair adolescentes.

A maconha de hoje é de cinco a dez vezes mais potente do que a da década de 1960 e é encontrada em biscoitos, bolos, brownies, *gummy bears*, *pot tarts*[*], pastilhas, óleos aromáticos, tinturas, chás... a lista é infinita.

Em todo o mundo a comida é manipulada por técnicos. Após a Primeira Guerra Mundial, a automação das linhas de produção de salgadinhos e frituras levou à criação das batatas fritas embaladas.[11] Em 2014, os estadunidenses consumiram 51 quilos de batatas por pessoa, sendo 15 quilos de batatas frescas e os 36 quilos restantes de batatas processadas. Quantidades imensas de açúcar, sal e gordura

---

[*] Aqui a autora faz alusão a *pop tart*, uma espécie de massa recheada com fruta ou chocolate, servida no café da manhã depois de esquentada, muito popular entre as crianças nos Estados Unidos. A *pot tart* é o equivalente, só que contendo maconha, e é vendida legalmente nas localidades onde a maconha foi liberada. (N. T.)

são acrescidas a grande parte dos alimentos que comemos, bem como milhares de sabores artificiais são incluídos para satisfazer nosso apetite moderno por coisas como sorvete de rabanada e bisque tailandesa de coco e tomate.[12]

Com acesso e potência crescentes, o polifármaco – ou seja, o uso de múltiplas drogas simultaneamente ou com grande proximidade – passou a ser a norma. Meu paciente Max achou mais fácil me mostrar um cronograma do seu uso de drogas do que explicá-lo para mim.

Como se pode ver na ilustração a seguir, ele começou aos 17 anos com álcool, cigarros e maconha ("Maria Joana"). Aos 18, cheirava cocaína. Aos 19, mudou para oxicodona e alprazolam. Ao longo dos seus 20 anos, usou Percocet, fentanil, cetamina, LSD, PCP, DXM e MXE, chegando à oximorfona, um opioide de classificação farmacêutica que o levou à heroína, que ele usou até me procurar, aos 30 anos. No total, ele passou por catorze drogas diferentes em pouco mais de uma década.

LINHA DO TEMPO DO USO DE DROGAS

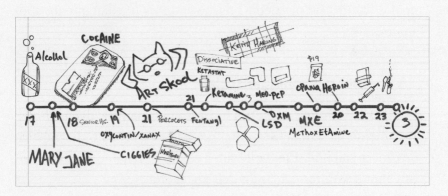

O mundo de hoje oferece um vasto complemento de drogas digitais que antes não existiam, ou, se existiam, agora estão acessíveis em plataformas que aumentaram exponencialmente sua potência e disponibilidade. Isto inclui pornografia online, jogos de azar e video games, só para citar alguns.

Além disso, a própria tecnologia é adictiva, com suas luzes pulsantes, seu estardalhaço musical, seu conteúdo ilimitado e a promessa, com uma participação contínua, de recompensas cada vez maiores.

Minha própria progressão, de um romance açucarado de um vampiro relativamente domesticado para o que equivale à pornografia socialmente sancionada para mulheres, pode ser atribuída ao advento do leitor eletrônico.

O ato de consumo por si só se tornou uma droga. Meu paciente Chi, um imigrante vietnamita, viu-se fisgado no ciclo de busca e compra de produtos online. Para ele, a euforia começava com a decisão do que comprar, continuava com a antecipação da entrega e culminava no momento em que ele abria o pacote.

Infelizmente, a euforia não durava muito além do tempo que ele levava para arrancar a fita adesiva da Amazon e ver o que havia dentro. Seus cômodos estavam cheios de bens de consumo baratos e ele devia dezenas de milhares de dólares. Mesmo assim, não conseguia parar. Para manter o ciclo funcionando, passou a encomendar produtos ainda mais baratos – chaveiros, canecas, óculos escuros de plástico –, devolvendo-os imediatamente após a entrega.

▶ A internet e o contágio social

Jacob decidiu não dar um fim a sua vida naquele dia, no hotel. Justamente na semana seguinte, sua esposa recebeu o diagnóstico de câncer cerebral. Eles voltaram à sua terra natal, e ele passou os três anos seguintes cuidando dela até ela morrer.

Em 2001, aos 49 anos, ele se reaproximou da sua namorada dos tempos de escola e eles se casaram.

– Eu *contar* a ela antes de a gente se casar sobre meu problema. Mas talvez eu tenha minimizado quando *contar* para ela.

Jacob e sua nova esposa compraram uma casa juntos, em Seattle. Jacob viajava para trabalhar como cientista no Vale do

Silício. Quanto mais tempo ele passava longe da esposa, mais retomava seus velhos padrões de pornografia e masturbação compulsiva.

– Eu nunca vejo pornografia quando estamos juntos, mas quando estou no Vale do Silício ou viajando, e ela não *estar* comigo, aí eu vejo.

Jacob fez uma pausa. Para ele, era claramente difícil abordar o assunto a seguir.

– Às vezes, quando mexo com eletricidade, no meu trabalho, sinto alguma coisa nas mãos. Fico curioso. Começo a imaginar qual seria a sensação de tocar meu pênis com uma corrente elétrica. Então começo a pesquisar online e descubro toda uma comunidade de pessoas que usa estímulo elétrico.

"Ligo eletrodos e fios ao meu sistema estéreo. Tento uma corrente alternada, usando a voltagem do sistema estéreo. Então, em vez de um simples fio, conecto eletrodos feitos de algodão embebido em água salgada. Quanto mais alto o volume do estéreo, mais alta a corrente. Com volume baixo, não sinto nada. Com volume mais alto, é doloroso. No meio termo, a sensação pode me levar ao orgasmo."

Arregalei os olhos. Não consegui evitar.

– Mas isto muito perigoso – ele prosseguiu. – Percebo que se acontece uma queda de energia, poderia ocorrer uma sobrecarga e eu poderia me machucar. Morreram pessoas fazendo isto. Online, fico sabendo que posso comprar um kit médico, como um... como vocês chamam aquilo, aquelas máquinas para tratar dor...

– Uma unidade TENS?[*]

– É, uma unidade TENS, por 600 dólares, ou eu mesmo posso fazer uma por 20 dólares. Decido fazer a minha. Compro o material. Faço a máquina. Ela funciona. Funciona bem. – Ele faz uma pausa. – Mas aí, a verdadeira descoberta, posso programar ela. Posso criar rotinas personalizadas e sincronizar a música com a sensação.

---

[*] Aparelho de estimulação nervosa elétrica transcutânea, também chamado de unidade TNS, usado para diminuir a perceção de dor aguda ou crônica. (N. T.)

– Que tipo de rotinas?

– Punheta, boquete, pode escolher. E então descubro não só as minhas rotinas. Vou online e baixo a rotina de outras pessoas, e compartilho a minha. Algumas pessoas escrevem programas para sincronizar com vídeos pornôs, então você sente o que está assistindo, como uma realidade virtual. O prazer vem da sensação, é claro, mas também de construir o aparelho e antecipar o que fará, experimentar maneiras de melhorar e compartilhar com as pessoas.

Ele sorriu ao se lembrar, pouco antes de o seu rosto despencar, antecipando o que veio depois. Olhando-me atentamente, percebi que ele estava avaliando se eu conseguiria aguentar aquilo. Preparei-me e acenei com a cabeça para que continuasse.

– A coisa piora. Há salas de bate-papo onde você pode assistir as pessoas se dando prazer, ao vivo. Você assiste de graça, mas tem opção para comprar fichas. Eu dar fichas para boa apresentação. Eu me filmo e coloco online. Só minhas partes íntimas. Nenhuma outra parte minha. No começo é empolgante ter estranhos me olhando. Mas também me sinto culpado de que olhar daria a ideia a outras pessoas, e elas poderiam ficar dependentes.

Em 2018, atuei como testemunha médica especializada no caso de um homem que avançou com seu caminhão sobre dois adolescentes, matando ambos. Ele dirigia sob o efeito de drogas. Como parte daquele processo, passei um tempo conversando com o detetive Vince Dutto, investigador criminal chefe em Placer County, Califórnia, onde houve o julgamento.

Curiosa sobre o seu trabalho, perguntei se havia notado alguma mudança de padrões nos últimos vinte anos. Ele me contou sobre o caso trágico de um menino de 6 anos que sodomizava o irmão mais novo, de 4 anos.

– Em geral, quando recebemos esses chamados – ele disse –, é porque algum adulto, com quem a criança tem contato, está abusando sexualmente dela, e então a criança reconstitui isto com outra criança, como seu irmãozinho. Mas fizemos uma investigação completa e não havia evidência de que o irmão mais velho estivesse sofrendo abusos. Seus pais eram divorciados e trabalhavam muito, então as crianças meio que se criavam por conta própria, mas não estava acontecendo nenhum abuso sexual ativo.

"O que acabou vindo à tona neste caso foi que o irmão mais velho andava assistindo a desenhos animados na internet e se deparou com alguns *animes* japoneses mostrando todos os tipos de atos sexuais. A criança tinha o próprio iPad, e ninguém vigiava o que o menino andava fazendo. Depois de assistir a um monte desses desenhos, ele decidiu tentar aquilo no irmãozinho. Olha, em mais de vinte anos de trabalho na polícia, nunca tinha visto esse tipo de coisa."

A internet estimula um consumo compulsivo desenfreado, não apenas fornecendo maior acesso a drogas velhas e novas, mas também sugerindo comportamentos que, de outro modo, poderiam nunca nos ter ocorrido. Os vídeos não se tornam apenas "virais". Eles são literalmente contagiosos, daí o surgimento do meme.

Os seres humanos são animais sociais. Quando vemos outras pessoas comportando-se de certa maneira online, esses comportamentos parecem "normais" porque pertencem a outras pessoas. O Twitter (em tradução literal, "gorjeio") é um nome adequado para a plataforma de mensagens de mídia social, popular tanto entre especialistas quanto entre presidentes. Somos como bandos de pássaros. Assim que um de nós levanta voo, todo nosso bando eleva-se no ar.

Jacob abaixou os olhos para as mãos. Não conseguia me encarar.

– Então, conheço uma moça no bate-papo. Ela gosta de dominar homens. Apresento a ela a coisa elétrica e depois lhe passo a habilidade de controlar a eletricidade remotamente: frequência, volume, estrutura das vibrações. Ela gosta de me levar até o limite, depois não me deixa continuar. Faz isto dez vezes, e outras pessoas assistem e comentam. Ficamos amigos, essa moça e eu. Ela nunca quer mostrar o rosto. Mas eu vi ela uma vez, por acidente, quando a câmera dela caiu por um momento.

– Que idade ela tinha? – perguntei.

– Acho que estava na casa dos quarenta...

Quis perguntar sobre sua aparência, mas percebi nisso minha própria curiosidade lasciva em ação, e não as necessidades terapêuticas dele, então me contive.

Jacob continuou:

– Minha esposa descobre tudo e diz que vai me largar. Prometo parar. Digo a minha amiga online que estou fora. Minha amiga muito brava. Minha esposa muito brava. Eu me odeio então. Paro por um tempo. Talvez um mês. Mas aí começo de novo. Só eu e a minha máquina, não os bate-papos. Minto para minha esposa, mas ela acaba descobrindo. A terapeuta dela diz para ela me deixar. Então minha esposa me deixa. Ela vai para nossa casa em Seattle, e agora estou sozinho.

Sacudindo a cabeça, ele diz:

– Nunca é tão bom quanto eu imagino. A realidade é sempre menos. Eu digo a mim mesmo, nunca mais, destruo a máquina e jogo ela fora. Mas às 4 da manhã do dia seguinte, estou pegando do lixo para reconstruir.

Jacob olha para mim com um olhar suplicante.

– Quero parar. Quero mesmo. Não quero morrer dependente.

Não sei ao certo o que dizer. Imagino-o ligado por seus órgãos genitais, através da internet, a uma sala cheia de estranhos. Sinto horror, compaixão e uma sensação vaga e inquietante de que poderia ter sido eu.

Da mesma maneira que Jacob, todos nós corremos o risco de nos excitar até a morte.

No mundo, 70% das mortes são atribuídas a fatores de risco comportamentais modificáveis, como fumar, inatividade física e dieta. Os principais riscos globais para mortalidade são pressão alta (13%), consumo de tabaco (9%), nível elevado de açúcar no sangue (6%), inatividade física (6%) e obesidade (5%).[13] Em 2013, estimou-se que 2,1 bilhões de adultos estavam acima do peso, em comparação a 857 milhões em 1980. Atualmente, há mais pessoas obesas no mundo do que abaixo do peso, com exceção de algumas regiões subsaarianas da África e partes da Ásia.[14]

As taxas de adicção estão crescendo em todo o planeta. No mundo, a incidência de doenças atribuídas ao álcool e a drogas ilícitas é de 1,5%, e mais de 5% nos Estados Unidos. Esses dados excluem o consumo de tabaco. A droga de preferência varia: os Estados Unidos estão dominados por drogas ilícitas; na Rússia e no Leste Europeu prevalece a dependência ao álcool.

As mortes globais por dependência cresceram em todas as faixas etárias entre 1990 e 2017, com mais de metade das mortes ocorrendo em pessoas abaixo dos 50 anos.[15]

Os pobres e pouco instruídos, em especial os que moram em países ricos, são mais suscetíveis ao problema de hiperconsumo compulsivo. Eles têm fácil acesso a drogas altamente compensatórias, de alta potência e grande novidade, ao mesmo tempo em que lhes falta acesso a um trabalho significativo, moradia segura, educação de qualidade, assistência médica acessível e igualdade de raça e classe perante a lei. Isto cria uma correlação perigosa de risco de dependência.

Os economistas de Princeton Anne Case e Angus Deaton demonstraram que os estadunidenses brancos, de meia-idade e sem diploma universitário estão morrendo mais jovens do que seus pais, avós e bisavós. As três causas principais de morte nesse grupo são overdose por droga, doença hepática relacionada a álcool e suicídio. Case e Deaton chamam esse fenômeno de "mortes por desespero".[16]

O hiperconsumo compulsivo é um risco não apenas à nossa vida, mas à vida do planeta. Os recursos naturais estão diminuindo rapidamente.[17] Economistas estimam que, em 2040, o capital natural do mundo (terras, florestas, vida aquática e combustíveis) estará 21% menor em países de alta renda e 17% menor em países mais pobres do que hoje. Enquanto isso, a emissão de carbono crescerá 7% em países de alta renda, e 44% no resto do mundo.

Estamos nos devorando. ■

CAPÍTULO 2

Fugindo do sofrimento

CONHECI DAVID EM 2018. Ele era um tipo comum: branco, porte médio, cabelo castanho. Tinha um clima de insegurança que fazia com que parecesse mais novo do que os 35 anos que constavam no registro médico. Peguei-me pensando: *Ele não vai durar. Vai voltar à clínica uma ou duas vezes, e nunca mais vou vê-lo.*

Mas aprendi que meus poderes para fazer prognósticos não são confiáveis. Atendi pacientes que eu tinha certeza de poder ajudar e se revelaram intratáveis, e outros que considerei desanimadores e foram surpreendentemente resilientes. Por isto, agora, quando atendo novos pacientes, tento acalmar aquela voz incrédula e me lembrar de que todos têm uma chance de recuperação.

– Conte-me o que te traz aqui.

Os problemas de David começaram na faculdade, mais precisamente no dia em que ele entrou na sala do serviço de saúde mental para estudantes. Ele era um aluno de 20 anos, estava no segundo ano em uma universidade no norte do estado de Nova York e procurava ajuda para lidar com a ansiedade e o baixo desempenho escolar.

Sua ansiedade era desencadeada pela interação com estranhos, ou com qualquer um que ele não conhecesse bem. Seu rosto ficava afogueado, o peito e as costas ficavam úmidos, e seus pensamentos se atrapalhavam. Evitava aulas nas quais teria que falar na frente dos outros. Desistiu duas vezes de um seminário obrigatório de oratória e comunicação, acabando por cumprir a exigência cursando uma aula equivalente na faculdade comunitária.

– Do que você tinha medo? – perguntei.

– Tinha medo de fracassar. Tinha medo de me expor como uma farsa. Tinha medo de pedir ajuda.

Depois de uma consulta de 45 minutos e um teste com papel e lápis que levou menos de cinco minutos para ser feito, chegaram ao diagnóstico de transtorno do déficit de atenção (TDA) e transtorno de ansiedade generalizado (TAG). O psicólogo que administrou o teste recomendou que ele desse continuidade com um psiquiatra para receitar um ansiolítico e, David disse, um "estimulante para o déficit de atenção". Não lhe ofereceram psicoterapia nem qualquer modificação comportamental não medicamentosa.

David procurou um psiquiatra, que prescreveu paroxetina, um inibidor seletivo de reabsorção de serotonina para o tratamento de depressão e ansiedade, e um medicamento à base de anfetamina, um estimulante para o tratamento do transtorno de déficit de atenção.

– Então, como foi para você? Estou me referindo aos remédios.

– No começo, a paroxetina ajudou um pouco com a ansiedade. Diminuiu alguns dos piores suadouros, mas não curou. Terminei mudando minha especialização de engenharia da computação para ciência da computação, achando que ajudaria. Requeria menos interação.

"Mas como não conseguia me manifestar e dizer que não tinha entendido a matéria, fui mal num exame. Depois, fui mal no próximo. Então interrompi o curso por um semestre para não ser prejudicado na minha média de notas. Acabei largando a escola de engenharia, o que foi bem triste, porque era o que eu amava e queria mesmo fazer. Tornei-me historiador. As turmas eram menores, apenas vinte pessoas, e eu podia me safar sendo menos interativo. Podia levar o livro de testes para casa e trabalhar sozinho."

– E o que aconteceu com a anfetamina? – perguntei.

– Eu tomava 10 mg de manhã cedo, antes da aula. Me ajudou a ter mais concentração. Mas, olhando agora, acho que eu só tinha maus hábitos para estudar. A anfetamina me ajudou a remediar isso, mas também me estimulou a deixar tudo para depois. Se havia uma prova e não tinha estudado, eu tomava direto, o dia todo e a noite toda, para estudar para o exame. Então, chegou o momento em que não conseguia estudar sem isso. Aí, comecei a precisar de mais.

Eu me perguntava se teria sido difícil conseguir comprimidos adicionais. – Foi difícil conseguir mais?

– Na verdade, não – ele respondeu. – Sempre sabia quando seria preciso repor. Ligava para o psiquiatra alguns dias antes. Não uma porção de dias antes, apenas um ou dois dias, para não levantar suspeita. Na verdade, já tinha acabado uns... dez dias antes, mas se telefonasse só alguns dias antes, eles repunham na mesma hora. Também aprendi que era melhor falar com os assistentes do médico. Eles eram mais propensos a repor sem fazer muitas perguntas. Às vezes, eu inventava desculpas, como dizer que tinha havido um problema com a remessa da farmácia. Mas na maioria das vezes não era preciso.

– É como se os comprimidos não estivessem ajudando de fato.

David fez uma pausa.

– No fim, acabou sendo um conforto. Era mais fácil tomar o comprimido do que sentir a dor.

Em 2016, fiz uma apresentação sobre problemas com drogas e álcool para o corpo docente e os funcionários da clínica de saúde mental para estudantes de Stanford. Fazia alguns meses que havia estado naquela parte do campus. Cheguei cedo, e, enquanto esperava no saguão principal para encontrar meu contato, minha atenção foi atraída para uma parede de folhetos em exposição.

Havia quatro tipos de folhetos, cada um com alguma variação da palavra "felicidade" no título: *O hábito da felicidade, Felicidade sem esforço, Felicidade ao alcance* e *Seja mais feliz em 7 dias*. Dentro de cada folheto havia receitas para se obter felicidade: "Enumere cinquenta coisas que o deixam feliz", "Olhe-se no espelho e liste em seu diário coisas que você ama em si mesmo" e "Produza uma corrente de emoções positivas".

E, talvez, o mais revelador de todos: "Otimize o timing e a variedade de estratégias de felicidade. Seja intencional quanto a onde e com que frequência. Para atos de generosidade: faça a experiência de verificar o que é mais eficiente para você: realizar várias boas ações em um dia ou uma ação a cada dia".

Esses folhetos ilustram como a busca da felicidade pessoal tornou-se uma máxima moderna, acabando com outras definições da "boa vida". Até atos de generosidade em relação a outras pessoas são enquadrados como estratégia para uma felicidade pessoal. O altruísmo não é mais um bem em si mesmo, passou a ser um veículo para nosso próprio "bem-estar".

Philip Rieff, psicólogo e filósofo de meados do século 20, previu essa tendência em *The Triumph of the Therapeutic: Uses of Faith After Freud* [O triunfo da terapêutica]: "O homem religioso nasceu para ser salvo; o homem psicológico nasceu para ser satisfeito".[1]

Mensagens que nos incentivam a buscar a felicidade não se limitam ao reino da psicologia. A religião moderna também promove uma teologia da autoconsciência, da autoexpressão e da autorrealização como o bem supremo.

Em seu livro *Bad Religion* [Religião ruim], o escritor e erudito religioso Ross Douthat descreve a teologia God Within* da Nova Era como "uma fé que é, ao mesmo tempo, cosmopolita e reconfortante, prometendo todos os prazeres do exotismo... sem

---

* Em tradução livre "Deus Interior". God Within significaria "entusiasmo" ou "enthusiasm" em inglês, derivando das palavras gregas "en" (interior) e "theos" (deus). (N. T.)

nenhum sofrimento... um panteísmo místico, no qual Deus é uma experiência e não uma pessoa... É impressionante como existe pouca exortação moral nas páginas da literatura Deus Interior. Existem frequentes chamados à 'compaixão' e à 'generosidade', mas pouca orientação para pessoas que enfrentam dilemas reais. E o que existe de orientação equivale a 'se te fizer bem, faça'".[2]

Em 2018, meu paciente Kevin, de 19 anos, foi trazido pelos pais, preocupados com o seguinte: ele não frequentava a escola, não conseguia parar num emprego e não seguia nenhuma regra da casa.

Seus pais eram tão imperfeitos quanto qualquer um de nós, mas estavam se esforçando para ajudá-lo. Não havia evidência de abuso ou negligência. O problema era que eles pareciam incapazes de impor qualquer limite para ele. Preocupavam-se de que, fazendo exigências, iriam "estressá-lo" ou "traumatizá-lo".

Considerar as crianças como psicologicamente frágeis é um conceito tipicamente moderno. Nos velhos tempos, as crianças eram consideradas adultos em miniatura, totalmente formadas desde o nascimento. Para a maioria da civilização ocidental, as crianças eram encaradas como maldosas de nascença. A função dos pais e cuidadores era impor uma disciplina extrema a fim de socializá-las para viver no mundo. Era perfeitamente aceitável usar castigos corporais e táticas de amedrontamento para fazer uma criança se comportar. Não mais.

Hoje, muitos pais que atendo se sentem aterrorizados de fazer ou dizer alguma coisa que deixará o filho ou a filha com uma cicatriz emocional, criando, assim, condições, segundo o pensamento corrente, para que eles tenham mais tarde um sofrimento emocional e até mesmo uma doença mental.

Essa noção pode ser atribuída a Freud, cuja contribuição psicanalítica inovadora era que as experiências na primeira infância, até as esquecidas por um bom tempo, ou fora do conhecimento consciente, podem causar danos psicológicos duradouros. Infelizmente, a visão de Freud, de que um trauma na primeira infância pode influenciar a psicopatologia adulta, transformou-se na convicção de que toda e qualquer experiência desafiadora nos prepara para o sofá da psicoterapia.

Nossos esforços para poupar os filhos de experiências psicológicas adversas acontecem não apenas em casa, mas também na escola. Nos Estados Unidos, as crianças de escola primária recebem algo equivalente ao prêmio "Estrela da Semana", não por uma conquista em especial; a cada semana, um aluno recebe a estrela, em ordem alfabética. Toda criança aprende a ficar atenta aos valentões, para não se tornarem espectadores, em vez de defensores. Na universidade, o corpo docente e os estudantes conversam sobre gatilhos e espaços seguros.

O fato da parentalidade e da educação terem conhecimento da psicologia do desenvolvimento é uma evolução positiva. Deveríamos reconhecer o valor de cada pessoa, independentemente do seu desempenho; parar com a brutalidade física e emocional no pátio escolar e em todos os outros lugares, e criar espaços seguros para pensar aprender e discutir.

Mas temo que tenhamos higienizado demais e patologizado demais a infância, criando nossos filhos no equivalente a uma cela acolchoada, sem possibilidade de se machucarem, mas também sem meios para se preparar para o mundo.

Ao proteger nossas crianças da adversidade, será que fizemos com que morressem de medo dela? Ao reforçar a autoestima delas com elogios falsos, sem ensinar as consequências do mundo real, será que não as tornamos menos tolerantes, mais cheias de direitos, e ignorantes dos próprios defeitos de caráter? Ao ceder a cada desejo delas, será que não estaremos incentivando uma nova era de hedonismo?

Em uma de nossas sessões, Kevin compartilhou sua filosofia de vida. Devo admitir que fiquei horrorizada.

– Faço o que quero, quando quero. Se quero ficar na cama, fico na cama. Se quero jogar video games, jogo video games. Se quero cheirar uma carreira de coca, mando uma mensagem para meu fornecedor, ele me entrega, e cheiro uma carreira de coca.

Se quero fazer sexo, entro online, descubro alguém, encontro a pessoa e faço sexo.

– Como isso está funcionando para você, Kevin? – perguntei.

– Não muito bem. – Só por um momento, ele pareceu envergonhado.

Nas três últimas décadas, vi números crescentes de pacientes como David e Kevin, que parecem ter todas as vantagens na vida – família solidária, educação de qualidade, estabilidade financeira, boa saúde –, mas desenvolvem ansiedade debilitante, depressão e sofrimento físico. Não apenas eles não estão funcionando em todo o seu potencial, como mal conseguem sair da cama de manhã.

***

Da mesma maneira, a prática da medicina tem se transformado por conta do nosso esforço em prol de um mundo sem sofrimento.

Antes dos anos 1900, os médicos acreditavam que algum grau de dor era saudável.[3] Cirurgiões importantes dos anos 1800 relutavam em adotar anestesia geral durante a cirurgia, por acreditar que a dor acionava a resposta imunológica e cardiovascular, apressando a recuperação. Embora eu não conheça evidência comprovando que a dor, de fato, acelere a recuperação do tecido, existe uma evidência emergente de que tomar opioides durante a cirurgia retarda essa recuperação.[4]

O famoso médico do século 17 Thomas Sydenham disse o seguinte a respeito da dor: "Considero cada... esforço totalmente calculado para diminuir a dor e a inflamação extremamente perigoso... Com certeza, um grau moderado de dor e inflamação nas extremidades são os instrumentos a que a natureza recorre para os propósitos mais acertados".[5]

Em contraste, espera-se que os médicos de hoje eliminem toda dor para não fracassar em sua função como curandeiros compassivos. Qualquer forma de dor é considerada perigosa, não apenas porque machuca, mas também porque se acredita que incite o cérebro para uma dor futura, deixando uma ferida neurológica que nunca sara.

A mudança de paradigma em torno da dor traduziu-se numa prescrição maciça de comprimidos de bem-estar.[6] Atualmente, mais de um a cada quatro americanos adultos, e mais de uma em cada vinte crianças estadunidenses, ingere medicamento psiquiátrico diariamente.[7]

O uso de antidepressivos, como paroxetina, fluoxetina e citalopram, está crescendo em países do mundo todo,[8] e os Estados Unidos encabeçam a lista. Mais de um a cada dez americanos (110 pessoas em 1.000) toma antidepressivos, seguidos pela Islândia (106/1.000), Austrália (89/1.000), Canadá (86/1.000), Dinamarca (85/1.000), Suécia (79/1.000), e Portugal (78/1.000). Entre 25 países, a Coreia vem por último (13/1.000).

O uso de antidepressivo cresceu 46% na Alemanha em apenas quatro anos e 20% na Espanha e Portugal durante o mesmo período. Embora dados de outros países asiáticos, incluindo a China, não estejam disponíveis, podemos inferir um uso crescente de antidepressivos ao olhar as tendências de venda. Na China, as vendas de antidepressivos chegaram a 2,61 bilhões de dólares em 2011, 19,5% a mais do que no ano anterior.

A prescrição de estimulantes (anfetaminas, metilfenidatos) nos Estados Unidos dobrou entre 2006 e 2016, inclusive em crianças abaixo dos 5 anos.[9] Em 2011, foi prescrito um estimulante a dois terços das crianças estadunidenses diagnosticadas com transtorno do déficit de atenção.

Prescrições para medicamentos sedativos, como benzodiazepínicos (alprazolam, clonazepam, diazepam), também adictivos, estão crescendo,[10] talvez para compensar todos aqueles estimulantes que estamos tomando. Nos Estados Unidos, entre 1996 e 2013, o número de adultos com o uso prescrito de benzodiazepínicos aumentou 67%, de 8,1 milhões para 13,5 milhões de pessoas.

Em 2012, foram prescritos opioides em número suficiente para cada estadunidense ter um frasco de comprimidos, e as overdoses por opioide mataram mais pessoas nos Estados Unidos do que armas ou acidentes de carro.

É de se surpreender, então, que David tenha deduzido que deveria se entorpecer com comprimidos?

***

Além de exemplos extremos de fuga do sofrimento, perdemos a capacidade de tolerar até formas menores de desconforto. Constantemente, procuramos nos distrair do momento presente, nos entreter.

Como Aldous Huxley disse em *Admirável mundo novo revisitado*: "O desenvolvimento de uma vasta indústria de comunicação de massa dizia respeito, em grande parte, não ao verdadeiro ou ao falso, mas ao irreal, o mais ou menos totalmente irrelevante... falhou em levar em conta o apetite quase infinito do homem por distrações".[11]

De maneira semelhante, Neil Postman, autor do clássico da década de 1980 *Amusing Ourselves to Death* [Entretendo-se até morrer], escreveu: "Os americanos já não conversam uns com os outros, eles entretêm uns aos outros. Não trocam ideias, trocam imagens. Não argumentam com propostas, argumentam com boas aparências, celebridades e comerciais".[12]

Minha paciente Sophie, uma estudante de Stanford vinda da Coreia do Sul, me procurou em busca de ajuda para depressão e ansiedade. Entre as várias coisas sobre as quais conversamos, ela contou que passa a maior parte do tempo em que fica acordada ligada em algum tipo de dispositivo: no Instagram, no YouTube, escutando podcasts e playlists.

Numa das nossas sessões, sugeri que ela tentasse ir a pé para a aula sem escutar nada, só deixando seus próprios pensamentos virem à tona.

Ela me olhou incrédula e temerosa.

– Por que eu faria isto? – perguntou, de boca aberta.

– Bom, é uma maneira de se familiarizar com você mesma – arrisquei. – De deixar sua experiência se revelar, sem tentar controlá-la ou fugir dela. Toda essa sua distração com dispositivos pode estar contribuindo para a depressão e a ansiedade. É muito exaustivo se evitar o tempo todo. Me pergunto se a experiência de vivenciar a si mesma de maneira diferente pode lhe abrir caminho a novos pensamentos e sensações e ajudá-la a se sentir mais conectada com você mesma, com os outros e com o mundo.

Ela pensou nisso por um momento.

– Mas é tão *chato*! – disse.

– É verdade – concordei. – Mas a chatice não é só chata. Também pode ser apavorante. Ela nos força a encarar questões maiores de significado e propósito. A chatice também é uma oportunidade para descobertas e invenções. Ela cria o espaço necessário para a formação de um novo pensamento, sem o qual estamos continuamente reagindo a estímulos à nossa volta, não nos permitindo conviver com nossa experiência de vida.

Na semana seguinte, Sophie experimentou caminhar para a aula sem estar plugada.

– No começo foi difícil – ela disse. – Mas depois me acostumei e até meio que gostei disso. Comecei a reparar nas árvores.

▶ Falta de autocuidado ou doença mental?

Voltemos a David que estava, segundo as próprias palavras, "tomando anfetamina 24 horas por dia". Depois de se formar na faculdade, em 2005, ele foi morar de novo com os pais. Pensou em cursar Direito, prestou o vestibular e até se saiu bem, mas, quando chegou a hora de se inscrever, perdeu a vontade.

– Ficava a maior parte do tempo sentado no sofá e desenvolvi muita raiva e ressentimento, contra mim mesmo e contra o mundo.

– Você sentia raiva do quê?

– Sentia como se tivesse desperdiçado meu tempo na faculdade. Não estudei o que realmente queria estudar. Minha namorada ainda estava estudando, se saindo bem, partindo para um mestrado. Eu estava largado em casa, sem fazer nada.

Depois que a namorada de David se formou, ela arrumou um emprego em Palo Alto. Ele foi com ela para lá, e em 2008 eles se casaram. David conseguiu um trabalho em uma start-up de tecnologia, onde interagiu com engenheiros jovens, inteligentes, generosos com o tempo de que dispunham.

Ele voltou a codificar e aprendeu tudo o que deveria ter estudado na faculdade, mas tinha medo demais para aprender em uma sala cheia de alunos. Foi promovido como desenvolvedor de software, trabalhava quinze horas por dia e corria cinquenta quilômetros por semana em seu tempo livre.

– Mas para que tudo isso acontecesse – ele explicou –, estava tomando mais anfetamina, não apenas de manhã, mas o dia todo. Acordava e tomava um. Chegava em casa, jantava, tomava mais outro. Os comprimidos tornaram-se meu novo normal. Também tomava enormes quantidades de cafeína. Então, chegava o fim da noite, quando precisava dormir, e pensava: *Tá, o que faço agora?* Aí, voltava para a psiquiatra e a convencia a me receitar zolpidem. Fingia não saber o que era, mas minha mãe tinha tomado essa droga por muito tempo, e dois dos meus tios também. Também a convenci a me receitar lorazepam de forma limitada, para a ansiedade antes das apresentações. De 2008 a 2018, eu estava tomando por dia 30 mg de Adderall, 50 mg de Ambien e de 3 a 6 mg de Ativan. Pensava: *Tenho ansiedade e transtorno de déficit de atenção e hiperatividade, preciso disto para funcionar.*

David atribuía o cansaço e a dispersão a uma doença mental, e não à falta de sono e à estimulação excessiva, lógica que usava para justificar o uso contínuo dos comprimidos. Ao longo dos anos, tenho visto um paradoxo semelhante em muitos dos meus pacientes: eles usam drogas, prescritas ou não, para compensar uma falta básica de autocuidado, depois atribuem os custos a uma doença mental, implicando, assim, na necessidade de mais drogas. Desta maneira, venenos passam a ser vitaminas.

– Você estava suplementando sua vitamina A: Adderall, Ambien e Ativan – brinquei.

– É, acho que sim – ele sorriu.

– Sua esposa ou alguém mais sabia o que estava acontecendo com você?

– Não, ninguém. Minha esposa não fazia ideia. Às vezes, eu bebia álcool quando ficava sem zolpidem, ou ficava irritado e gritava com ela quando tomava anfetamina em excesso. Mas fora isso, escondi tudo muito bem.

– Então, o que aconteceu?

– Me cansei. Cansei de tomar estimulantes e relaxantes dia e noite. Comecei a pensar em acabar com a minha vida. Pensei que me sentiria melhor, e outras pessoas se sentiriam melhor. Mas minha esposa estava grávida, então sabia que precisava mudar. Contei a ela que precisava de ajuda. Pedi que me levasse ao hospital.

– Como ela reagiu?

– Ela me levou ao pronto-atendimento e, quando tudo foi revelado, ficou chocada.

– O que a deixou chocada?

– Os comprimidos. Todos os comprimidos que eu estava tomando. Meu estoque enorme e o quanto eu andara escondendo dela.

David foi internado na ala psiquiátrica e recebeu o diagnóstico de dependência de estimulantes e sedativos. Ficou no hospital até a retirada da anfetamina, do zolpidem e do lorazepam, e até deixar de ser um suicida. Levou duas semanas. Foi liberado para voltar para casa, para sua esposa grávida.

Todos nós fugimos do sofrimento. Alguns tomam comprimidos. Alguns se estendem no sofá, maratonando Netflix. Outros leem romances baratos. Fazemos praticamente qualquer coisa para nos distrair de nós mesmos. No entanto, parece que toda essa tentativa de nos isolarmos do sofrimento apenas torna nosso sofrimento pior.

Segundo o Relatório de Felicidade Mundial, que classifica 156 países segundo a extensão de felicidade que seus cidadãos consideram ter, os residentes nos Estados Unidos declararam estar menos felizes em 2018 do que em 2008.[13] Outros países com nível semelhante de riqueza, assistência social e expectativa de vida viram um declínio semelhante em pontuações autodeclaradas de felicidade, incluindo Bélgica, Canadá, Dinamarca, França, Japão, Nova Zelândia e Itália.*

Os pesquisadores entrevistaram quase 150 mil pessoas em 26 países para determinar a prevalência de transtorno de ansiedade generalizada, definida como preocupação excessiva e descontrolada, afetando a vida delas negativamente. Eles descobriram que os países mais ricos tinham taxas de ansiedade mais altas do que os países pobres: "O transtorno predomina mais significativamente e com maior comprometimento nos países de alta renda do que nos países de baixa ou média renda".[14]

Entre 1990 e 2017, o número de novos casos de depressão cresceu 50% mundialmente.[15] Os maiores aumentos de novos casos foram vistos em regiões com o indicador sociodemográfico (renda) mais alto, em especial a América do Norte.

A dor física também está aumentando.[16] No decorrer da minha carreira, tenho atendido mais pacientes, inclusive jovens que muito embora sejam saudáveis, apresentam dor em todo o corpo, ainda que não tenha sido identificada nenhuma doença, nem lesão de tecido. Os números e tipos de síndrome de dor física inexplicável cresceram: síndrome complexa de dor regional, fibromialgia, cistite intersticial, síndrome da dor miofascial, síndrome da dor pélvica, e por aí vai.

---

* Na edição 2021 do Relatório de Felicidade Mundial, o Brasil ficou em 41º lugar, caindo mais de dez posições em comparação ao período 2017-2019, quando estava na 29ª posição. (N. E.)

Os pesquisadores fizeram a seguinte pergunta a pessoas em trinta países ao redor do mundo: "Durante as últimas quatro semanas, com que frequência você teve dores ou desconfortos físicos? Nunca; raramente; às vezes; frequentemente; ou muito frequentemente?". Descobriram que os estadunidenses relataram mais dores do que qualquer outro país: 34% disseram que sentiam dor "frequentemente" ou "muito frequentemente", em comparação a 19% das pessoas que vivem na China, 18% das pessoas que vivem no Japão, 13% das pessoas que vivem na Suíça, e 11% das pessoas que vivem na África do Sul.

A pergunta é: por que, numa época sem precedentes de prosperidade, liberdade, progresso tecnológico e avanço médico,[17] parecemos estar mais infelizes e com mais dores do que nunca?

Talvez o motivo de estarmos todos tão infelizes seja porque estamos dando duro para evitar sermos infelizes.

CAPÍTULO 3 ───────────────────────

O equilíbrio prazer-sofrimento

OS AVANÇOS NEUROCIENTÍFICOS nos últimos cinquenta a cem anos, incluindo avanços em bioquímica, novas técnicas de imagem e o surgimento da biologia computacional, jogaram luz nos processos fundamentais de gratificação. Para entender melhor os mecanismos que governam sofrimento e prazer, podemos conseguir um novo insight sobre por que e como o prazer em excesso leva ao sofrimento.

▶ Dopamina

As principais células funcionais do cérebro chamam-se neurônios. Elas se comunicam entre si por sinapses via sinais elétricos e neurotransmissores.

Os neurotransmissores são como futebol. O artilheiro é o neurônio pré-sináptico. O goleiro é o neurônio pós-sináptico. O espaço entre o artilheiro e o goleiro é a fenda sináptica. Assim como a bola é jogada entre o artilheiro e o goleiro, os neurotransmissores conectam a distância entre os neurônios: mensageiros químicos regulando sinais elétricos no cérebro.

Existem muitos neurotransmissores importantes, mas vamos focar na dopamina.

NEUROTRANSMISSOR

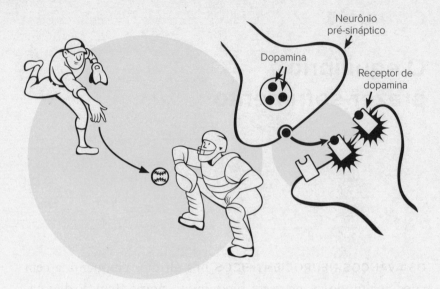

A dopamina foi identificada pela primeira vez como um neurotransmissor no cérebro humano em 1957, por dois cientistas que trabalhavam de modo independente: Arvid Carlsson e sua equipe em Lund, Suécia, e Kathleen Montagu, sediada próximo a Londres.[1] Carlsson acabou ganhando o Prêmio Nobel em Fisiologia ou Medicina.*

A dopamina não é o único neurotransmissor envolvido no processo de gratificação, mas a maioria dos neurocientistas concorda que é um dos mais importantes. A dopamina pode desempenhar uma função maior na motivação para se conseguir uma gratificação do que o prazer da própria gratificação. *Querer* mais do que *gostar*.[2] Camundongos geneticamente modificados, incapazes de produzir dopamina, não buscarão alimento e morrerão de fome, mesmo quando a comida é colocada a centímetros da sua boca.[3] No entanto, se a comida for colocada diretamente na boca, os camundongos mastigarão e comerão, parecendo sentir prazer.

---

* Kathleen Montagu publicou suas descobertas sobre a dopamina na revista *Nature* em agosto de 1957; Arvid Carlsson e seus colegas, alguns meses depois, em novembro de 1957, na mesma revista. (N. E.)

A despeito de discussões sobre as diferenças entre motivação e prazer, a dopamina é usada para avaliar o potencial adictivo de qualquer comportamento ou droga. Quanto mais dopamina uma droga libera no caminho de gratificação do cérebro (um circuito cerebral que liga a área tegmental ventral, o núcleo *accumbens*, e o córtex pré-frontal), e quanto mais rápido ela libera dopamina, mais adictiva é a droga.

CIRCUITO DE GRATIFICAÇÃO DA DOPAMINA NO CÉREBRO

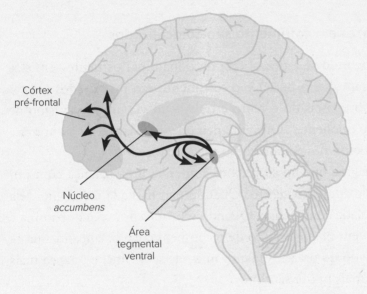

Isso não quer dizer que as substâncias de *alta dopamina* contenham literalmente dopamina. Em vez disso, elas disparam a liberação de dopamina em nosso circuito de recompensa do cérebro.

Para um rato confinado, o chocolate aumenta em 55% a liberação basal de dopamina no cérebro;[4] o sexo em 100%,[5] a nicotina em 150%,[6] e a cocaína em 225%. A anfetamina, ingrediente ativo em drogas ilícitas como *speed*, *ice* e *shabu*, bem como em medicamentos usados para tratar transtorno do déficit de atenção, aumenta em 1.000% a liberação de dopamina. Por esse cálculo, a dose de um cachimbo de metanfetamina equivale a dez orgasmos.

▶ O prazer e o sofrimento são colocalizados

Somando-se à descoberta da dopamina, os neurocientistas verificaram que o prazer e o sofrimento são processados em regiões sobrepostas do cérebro e trabalham via um mecanismo de processo oponente.[7] Outra maneira de dizer isso é que o prazer e o sofrimento funcionam como uma balança.

Imagine que nosso cérebro contenha uma balança com um ponto de apoio no centro. Quando não há nada na balança, ela fica nivelada com o chão. Quando sentimos prazer, a dopamina é liberada em nosso circuito de recompensa, e a balança inclina-se para o lado do prazer. Quanto mais ela se inclina, e quanto mais rápido, mais prazer sentimos.

Mas aqui está o importante sobre a balança: ela quer permanecer nivelada, ou seja, em equilíbrio. Ela não quer ficar inclinada por muito tempo para um lado ou outro. Sendo assim, sempre que a balança se inclina em direção ao prazer, mecanismos autorreguladores poderosos entram em ação para nivelá-la novamente. Esses mecanismos autorreguladores não exigem um pensamento consciente nem um ato de vontade. Eles simplesmente acontecem, como um reflexo.

Tendo a imaginar esse sistema autorregulador como pequenos *gremlins* pulando no lado do sofrimento da balança, para compensar o peso no lado do prazer. Os *gremlins* representam o trabalho da homeostase: a tendência de qualquer sistema vivo a manter uma estabilidade fisiológica.

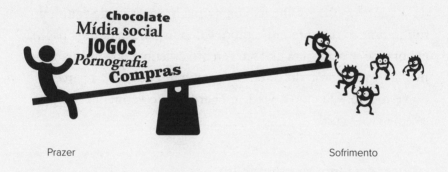

Prazer   Sofrimento

Depois que a balança está nivelada, ela continua a se inclinar numa força igual e oposta para o lado do sofrimento.

Prazer   Sofrimento

O EQUILÍBRIO PRAZER-SOFRIMENTO | 55

Na década de 1970, os cientistas sociais Richard Solomon e John Corbit chamaram essa relação recíproca entre prazer e sofrimento de teoria do processo oponente: "Qualquer afastamento prolongado ou repetido de neutralidade hedonista ou afetiva... tem um custo".[8] Esse custo é uma "reação posterior", com valor oposto ao estímulo. Ou, como dizia o velho ditado: *Tudo que sobe tem que descer.*

Acontece que muitos processos fisiológicos do corpo são governados por sistemas autorreguladores semelhantes. Por exemplo: Johann Wolfgang von Goethe, Ewald Hering e outros demonstraram como a percepção da cor é regida por um sistema de processo oponente. Olhar de perto uma cor por um período contínuo produz espontaneamente nos olhos do observador uma imagem da sua cor "oposta". Olhe fixo para uma imagem verde contra um fundo branco durante um tempo, e depois olhe para uma página em branco, e perceberá que seu cérebro cria uma pós-imagem vermelha. A percepção do verde dá lugar, em sequência, à percepção do vermelho. Quando o verde está ativado, o vermelho não pode estar, e vice-versa.

▸ Tolerância (neuroadaptação)

Todos nós experienciamos o desejo na sequência do prazer. Seja buscar um segundo pacote de batata frita, seja clicar no link para mais uma rodada de video games, é natural querer recriar aquelas boas sensações, ou tentar não deixar que sumam. A solução simples é continuar comendo, ou jogando, ou assistindo, ou lendo. Mas existe um problema nisso.

Com a repetida exposição ao mesmo estímulo ao prazer, ou a um estímulo semelhante, o desvio inicial para o lado do prazer fica mais fraco e mais curto, e a resposta posterior para o lado do sofrimento fica mais forte e mais demorada, um processo chamado pelos cientistas de *neuroadaptação*. Ou seja, com a repetição, nossos *gremlins* ficam maiores, mais rápidos e mais numerosos, e precisamos de uma maior quantidade da droga de nossa escolha para obter o mesmo efeito.

Precisar mais de uma substância para sentir prazer, ou sentir menos prazer com uma determinada dose, é chamado de *tolerância*. A tolerância é um fator importante no desenvolvimento da dependência.

Prazer · Sofrimento

Para mim, ler a saga *Crepúsculo* pela segunda vez foi agradável, mas não tanto quanto na primeira vez. Na quarta vez em que a li (sim, li quatro vezes a saga completa), meu prazer foi significativamente menor. A releitura nunca se igualou àquele primeiro ciclo. Além disso, a cada vez que a li, passei a ter uma sensação maior de insatisfação, e um desejo mais forte de recuperar a sensação que tive ao lê-la pela primeira vez. Conforme fiquei "tolerante" a *Crepúsculo*, fui forçada a procurar formas novas e mais potentes da mesma droga para tentar recuperar aquela sensação inicial.

Com o uso prolongado de drogas mais fortes, o equilíbrio entre o prazer e o sofrimento acaba pesando para o lado do sofrimento. Nosso ponto de ajuste hedônico (prazer) muda, conforme nossa capacidade de vivenciar prazer diminui e nossa vulnerabilidade ao sofrimento sobe. Imagine os *gremlins* acampados no lado do sofrimento da balança, com barracas, colchões infláveis e churrasqueiras portáteis a reboque.

Prazer   Sofrimento

Fiquei bem mais atenta a esse efeito das substâncias adictivas de alta dopamina no caminho de recompensa do cérebro no início dos anos 2000, quando comecei a atender mais pacientes que vinham ao consultório sob um tratamento, a longo prazo, de altas doses de opioide (pense em oxicodona, hidrocodona, morfina, fentanil) para dor crônica. Apesar da alta dosagem desses medicamentos e do uso prolongado, a dor dos pacientes só tinha piorado com o tempo. Por quê? Porque a exposição a opioides tinha feito com que o cérebro reprogramasse o equilíbrio prazer-sofrimento para o lado do sofrimento. Agora, sua dor original estava pior, e eles tinham novas dores em partes do corpo que não costumavam doer.

Esse fenômeno, amplamente observado e verificado em estudos de animais, passou a ser chamado de *hiperalgesia induzida por opioides*.[9] Algesia, do grego *algesis*, significa sensibilidade à dor. Além disso, quando esses pacientes diminuíam gradativamente os opioides, muitos deles experimentavam melhora na dor.[10]

A neurocientista Nora Volkow e seus colegas demonstraram que o consumo pesado e prolongado de substâncias de alta dopamina acaba levando a um estado de déficit de dopamina.

Volkow analisou a transmissão de dopamina nos cérebros de controle saudáveis em comparação com pessoas dependentes de uma variedade de drogas, duas semanas depois de terem parado de usá-las. As imagens do cérebro são chocantes. Nas imagens dos cérebros de controle saudáveis, uma área com o formato de feijão, associada no cérebro à recompensa e motivação, aparece em vermelho vivo, indicando altos níveis de atividade neurotransmissora de dopamina. Nas imagens de pessoas com dependência, que pararam de usar droga duas semanas antes, a mesma região do cérebro em formato de feijão contém pouco ou nenhum vermelho, indicando pouca ou nenhuma transmissão de dopamina.

Como a Dra. Volkow e seus colegas escreveram: "A diminuição de receptores DA D_2 nos dependentes de droga, acoplada à diminuição da liberação de DA, resultaria numa sensibilidade reduzida de circuitos compensatórios para a estimulação de recompensas naturais".[11] Uma vez que isto acontece, nada continua parecendo bom.

Colocando de outra maneira, os jogadores do Time Dopamina pegam suas bolas, suas chuteiras e vão para casa.

EFEITOS DA ADICÇÃO NOS RECEPTORES DE DOPAMINA

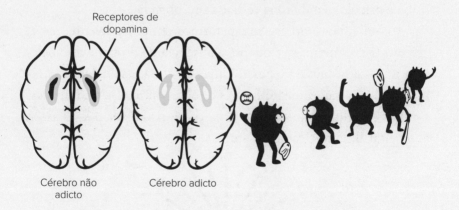

Cérebro não adicto

Cérebro adicto

Nos cerca de dois anos em que consumi compulsivamente romances baratos, acabei chegando a um ponto em que não conseguia achar um livro de que gostasse. Era como se eu tivesse esgotado meu centro de prazer na leitura de romances, e nenhum livro conseguisse revivê-lo.

O paradoxo é que o hedonismo, a busca pelo prazer por si só, leva à anedonia, a incapacidade de desfrutar qualquer tipo de prazer. Ler sempre tinha sido minha principal fonte de prazer e fuga, então foi um choque e uma tristeza quando isso parou de funcionar. Mesmo assim, foi difícil parar.

Meus pacientes com dependência descrevem que chegam a um ponto em que a droga deixa de fazer efeito. Já não conseguem ficar surtados. Ainda assim, se não tomam a droga, sentem-se miseráveis. Os sintomas universais de retirada de qualquer substância que cause dependência são ansiedade, irritabilidade, insônia e disforia.

Uma balança de prazer-sofrimento inclinada para o lado do sofrimento é o que leva as pessoas a terem recaídas, mesmo depois de terem mantido períodos de abstinência. Quando nossa balança está inclinada para o lado do sofrimento, desejamos nossa droga só para nos sentirmos normais (uma balança nivelada).

O neurocientista George Koob chama esse fenômeno de "recaída levada pela disforia",[12] no qual a retomada do uso é levada não pela busca do prazer, mas pelo desejo de aliviar o sofrimento físico e psicológico de uma retirada prolongada.

Agora, a boa notícia. Se esperarmos tempo suficiente, nosso cérebro (geralmente) se readapta à ausência da droga, e restabelecemos nossa homeostase basal. Uma vez que nossa balança esteja nivelada, somos novamente capazes de obter prazer das recompensas simples e cotidianas: sair para uma caminhada, ver o sol nascer, aproveitar uma refeição com amigos.

▸ Pessoas, lugares e coisas

A balança prazer-sofrimento é acionada não apenas pela reexposição à droga em si, mas também pela exposição a sugestões associadas ao uso da droga. Nos Alcoólicos Anônimos, o lema para descrever esse fenômeno é *pessoas, lugares e coisas*. No mundo da neurociência, isto se chama *aprendizagem dependente de sugestões*, também conhecida como condicionamento clássico (pavloviano).

Ivan Pavlov, que ganhou o Prêmio Nobel em Fisiologia ou Medicina em 1904, demonstrou que os cachorros salivam por reflexo quando lhes é apresentado um pedaço de carne. Quando a apresentação da carne é consistentemente acompanhada pelo som de uma campainha, os cachorros salivam ao ouvir a campainha, mesmo que nenhuma carne esteja imediatamente acessível. A interpretação é de que os cachorros aprenderam a associar o pedaço de carne, uma recompensa natural, à campainha, uma sugestão condicionada. E no cérebro, o que está acontecendo?

Com a inserção de uma sonda de detecção no cérebro de um rato, os neurocientistas demonstraram que a dopamina é liberada no cérebro em reação à sugestão condicionada (como uma campainha, um metrônomo, um facho de luz) bem antes de a própria recompensa ser ingerida (por exemplo, uma carreira de cocaína). O pico de dopamina pré-recompensa, em resposta à sugestão condicionada, explica o prazer antecipado que sentimos quando sabemos que virão coisas boas.

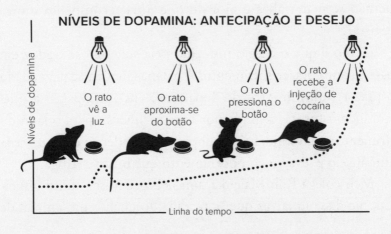

Depois que conseguimos a recompensa esperada, a descarga de dopamina no cérebro aumenta acima da linha básica tônica. Mas se a recompensa que esperamos não se materializa, os níveis de dopamina caem bem abaixo da linha básica. O que equivale a dizer, se conseguimos a recompensa esperada, podemos conseguir um pico ainda maior; se não conseguimos a recompensa esperada, vivenciamos uma queda ainda maior.

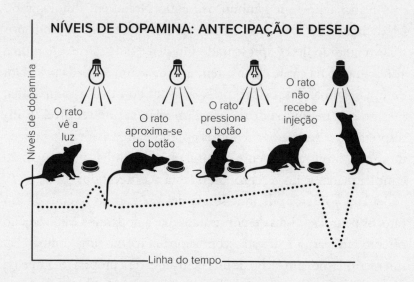

Todos nós vivenciamos a decepção de expectativas não cumpridas. Para começo de conversa, uma recompensa esperada que não se materializa é pior do que uma recompensa nunca prevista.

Como é que o desejo induzido pela sugestão se traduz em nossa balança prazer-sofrimento? A balança inclina-se para o lado do prazer (um minipico de dopamina) em antecipação a uma recompensa futura, seguida por uma inclinação para o lado do sofrimento (um minidéficit de dopamina). O déficit de dopamina é um anseio e leva ao comportamento que busca a droga.

Meu colega Rob Malenka, um neurocientista muito respeitado, me disse uma vez que "a medida do quanto um animal de laboratório está dependente resume-se a quanto aquele animal está disposto a se esforçar para obter sua droga, pressionando uma alavanca, andando por um labirinto, subindo uma rampa". Descobri que o mesmo se aplica aos seres humanos. Sem mencionar que todo ciclo de antecipação e desejo pode ocorrer fora do limite do estado consciente.

Na década passada, foram feitos avanços significativos no entendimento da causa biológica do jogo de azar patológico, levando à reclassificação dos seus transtornos na 5ª edição do *Manual de diagnóstico e estatístico de transtornos mentais (DSM-5)* como transtornos de dependência.

Estudos indicam que a liberação de dopamina resultante dos jogos de azar se vincula à imprevisibilidade da entrega de recompensa, tanto quanto à própria recompensa final (frequentemente monetária). A motivação para jogar baseia-se amplamente na impossibilidade de se prever a ocorrência de gratificação, mais do que no ganho financeiro.

Num estudo de 2010, Jakob Linnet e seus colegas mediram a liberação de dopamina em pessoas dependentes de jogos de azar e nas que tinham controles saudáveis ao ganhar e perder dinheiro.[13] Não houve diferenças distintas entre os dois grupos quando ganhavam dinheiro; no entanto, em comparação ao grupo controle, os jogadores patológicos apresentaram um marcante aumento nos níveis de dopamina quando perdiam dinheiro. A quantidade de dopamina liberada no caminho da recompensa estava no seu mais alto grau quando a probabilidade de perder e ganhar era quase idêntica (50%), representando uma incerteza máxima.

O transtorno dos jogos de azar evidencia a distinção sutil entre antecipação de recompensa (liberação de dopamina antes da recompensa) e reação à recompensa (liberação de dopamina depois ou durante a recompensa). Meus pacientes com dependência a jogos de azar contam que, enquanto jogam, uma parte deles quer perder.

Quanto mais eles perdem, mais forte a necessidade de continuar jogando, e mais forte a adrenalina quando ganham – fenômeno descrito como "perseguição da perda".

Desconfio que algo semelhante acontece com os aplicativos de redes sociais, onde a reação dos outros é tão caprichosa e imprevisível que a incerteza de ganhar "like" ou algo equivalente é tão reforçadora quando o próprio "like".

O cérebro codifica memórias de longo prazo de recompensa e as sugestões que lhe estão associadas, mudando o formato e o tamanho dos neurônios que produzem dopamina. Por exemplo, os dendritos, prolongamentos do neurônio, tornam-se mais compridos e mais numerosos em resposta a recompensas de alta dopamina. Esse processo é chamado de *plasticidade dependente da experiência*.[14] Essas mudanças no cérebro podem durar uma vida e persistem muito tempo depois de a droga já não estar disponível.

Pesquisadores exploraram os efeitos da exposição à cocaína em ratos, injetando neles a mesma quantidade de cocaína em dias seguidos, durante uma semana, e dimensionando o quanto eles corriam em resposta a cada injeção. Um rato injetado com cocaína correrá pelo meio da gaiola, em vez de se manter à margem, como fazem os ratos normais. A quantidade de corridas pode ser mensurada pelo uso de fachos de luz projetados através da gaiola. Quanto mais vezes o rato cruza o facho de luz, mais ele está correndo.

Os cientistas descobriram que, a cada dia sucessivo de exposição à cocaína, os ratos progrediram de uma corrida animada no primeiro dia para uma disparada direta e frenética no último, mostrando uma sensibilização cumulativa nos efeitos da droga.

Uma vez que os pesquisadores pararam de administrar cocaína, os ratos pararam de correr. Um ano depois – uma verdadeira eternidade para um rato –, os cientistas reinjetaram os ratos com cocaína uma vez, e eles saíram correndo imediatamente, como tinha acontecido no último dia do experimento original.

Quando os cientistas examinaram os cérebros dos ratos, viram mudanças induzidas pela cocaína nos caminhos de recompensa dos ratos, consistentes com a sensibilização persistente a cocaína. Essas descobertas mostram que uma droga como a cocaína pode alterar o cérebro para sempre. Descobertas semelhantes foram demonstradas com outras substâncias adictivas, do álcool a opioides e maconha.

Em meu trabalho clínico, vejo pessoas que lutam com dependência severa voltando diretamente ao uso compulsivo com uma única exposição, mesmo após anos de abstinência. Isso pode acontecer por causa da sensibilização persistente à droga de escolha, os ecos distantes do uso anterior da droga.

***

Aprender também aumenta o disparo de dopamina no cérebro. Ratazanas abrigadas por três meses em um ambiente diverso, novo e estimulante apresentam uma proliferação de sinapses ricas em dopamina, no caminho de recompensa do cérebro, em comparação com ratos abrigados em gaiolas padrão de laboratório. As mudanças cerebrais que acontecem em resposta a um ambiente novo e estimulante assemelham-se àquelas vistas em drogas de alta dopamina (adictivas).

Mas se as mesmas ratazanas são previamente tratadas com um estimulante tal como a metanfetamina, droga altamente adictiva, antes de entrar no ambiente enriquecido, elas não apresentam as mudanças sinápticas vistas na exposição ao ambiente enriquecido. Essas descobertas sugerem que a metanfetamina limita a capacidade de aprendizagem em um rato.[15]

Agora, algumas boas notícias. Meu colega Edie Sullivan, especialista mundial em efeitos do álcool no cérebro, estudou o processo de recuperação da dependência e descobriu que, embora algumas mudanças cerebrais devidas à dependência sejam irreversíveis, é possível se desviar dessas áreas danificadas e criar novas redes neurais. Isso significa que, embora as mudanças cerebrais sejam permanentes, podemos descobrir novos caminhos sinápticos para criar comportamentos saudáveis.[16]

Enquanto isto, o futuro contém tentadoras possibilidades de reverter as cicatrizes da dependência. Vincent Pascoli e seus colegas injetaram cocaína em ratos, o que demonstrou as mudanças comportamentais esperadas (corridas frenéticas); em seguida, usaram a optogenética – técnica biológica que envolve o uso de luz para controlar neurônios – para reverter as mudanças sinápticas cerebrais causadas pela cocaína.[17] Talvez, um dia, seja possível o uso da optogenética em cérebros humanos.

▸ A balança é apenas uma metáfora

Na vida real, o prazer e o sofrimento são mais complexos do que o funcionamento de uma balança.

O que é agradável para uma pessoa pode não ser para outra. Cada pessoa tem sua "droga de escolha".

O prazer e o sofrimento podem ocorrer simultaneamente. Por exemplo, podemos sentir tanto um quanto outro ao comer um prato apimentado.

Nem todos começam com uma balança nivelada. Quem tem depressão, ansiedade e dor crônica começa com a balança inclinada para o lado do sofrimento, o que pode explicar por que as pessoas com transtornos psiquiátricos são mais vulneráveis à dependência.

Nossa percepção sensória do sofrimento (e do prazer) é muito influenciada pelo significado que conferimos a isso.

Henry Knowles Beecher (1904-1976) serviu como médico militar durante a Segunda Guerra Mundial no norte da África, na Itália e na França. Observou 225 soldados com graves ferimentos ocorridos em batalha e fez um relatório a respeito.

Beecher foi rígido com os critérios de inclusão no seu estudo, avaliando apenas homens que "tinham um de cinco tipos de ferimentos graves, escolhidos como representativos: lesão extensa de tecido mole periférico, fratura exposta de um osso longo, bala alojada na cabeça, no peito ou no abdômen... estavam mentalmente lúcidos e... não estavam em choque no momento das perguntas".

Sua descoberta foi impressionante: 75% desses soldados com ferimentos graves relataram pouca ou nenhuma dor imediatamente após serem feridos, apesar de serem ferimentos com risco de morte.

Sua conclusão foi que a dor física era contrabalançada pelo alívio emocional de escapar "de um ambiente extremamente perigoso, cheio de cansaço, desconforto, ansiedade, medo e real ameaça de morte". A dor deles, por pior que fosse, dava-lhes "passe livre para a segurança do hospital".[18]

Por outro lado, um relato no *British Medical Journal*, publicado em 1995, detalha o caso de um operário de construção de 29 anos que entrou no pronto-atendimento, depois de cair de pé sobre um prego de 15 centímetros,[19] que apontava para fora da parte de cima da sua bota, depois de penetrar o couro, a carne e os ossos. "O menor movimento do prego era doloroso [e] ele foi sedado com fentanil e midazolam", poderosos opioides e sedativos.

Mas quando o prego foi puxado para fora, por debaixo, e a bota removida, ficou claro que "o prego tinha penetrado entre os dedos, o pé estava totalmente incólume".

A ciência nos ensina que todo prazer exige um preço, e o sofrimento que se segue dura mais tempo e é mais intenso do que o prazer do qual ele se originou.

Com exposição prolongada e repetitiva a estímulos prazerosos, nossa capacidade de tolerância à dor diminui, e nosso limite para experienciar prazer aumenta. Ao gravar uma memória instantânea e permanente, somos incapazes de esquecer as lições de prazer e sofrimento, mesmo se quisermos; o hipocampo tatua para durar a vida toda.

O maquinário neurológico para o processamento de prazer e sofrimento (superantigo do ponto de vista filogenético) permaneceu intacto ao longo da evolução e através das espécies. Ele está perfeitamente adaptado a um mundo de escassez. Sem prazer, não comeríamos, beberíamos, nem nos reproduziríamos. Sem dor, não nos protegeríamos de ferimentos e morte. Ao elevar nosso ponto de ajuste neural com repetidos prazeres, tornamo-nos eternos batalhadores, nunca satisfeitos com o que temos, sempre buscando mais.

Mas aqui está o problema. Os seres humanos, buscadores por excelência, reagiram bem demais ao desafio da busca do prazer e da evasiva da dor. O resultado é que transformamos o mundo de um lugar de escassez em um lugar de abundância excessiva.

Nossos cérebros não evoluíram para esse mundo de fartura. Como disse o Dr. Tom Finucane, que estuda diabetes no contexto da alimentação sedentária crônica, "somos cactos em uma floresta tropical".[20] E como cactos adaptados a um clima árido, estamos nos afogando em dopamina.

O efeito bruto é que agora precisamos de mais recompensa para sentir prazer e suportamos menos danos para sentir dor. Esta recalibração ocorre não apenas no nível individual, mas também no nível das nações. O que pede o questionamento: como sobreviver e nos desenvolver nesse novo ecossistema? Como educar as crianças? Que novas maneiras de pensar e agir serão necessárias para nós, cidadãos do século 21?

Ninguém melhor para nos ensinar como evitar o hiperconsumo compulsivo do que os mais vulneráveis a ele: os que lutam com a dependência. Evitados há milênios através das culturas, como réprobos, parasitas e propagadores de depravação moral, os dependentes desenvolveram um conhecimento perfeitamente adequado à época em que vivemos.

O que se segue são lições de recuperação para um mundo saturado de recompensas.

PARTE II
AUTOCOMPROMETIMENTO

CAPÍTULO 4 ──────────────────

Jejum de dopamina

– ESTOU AQUI PORQUE MEUS PAIS ME OBRIGARAM – Delilah disse naquela voz mal-humorada típica de qualquer adolescente.

– Tudo bem – eu disse. – Por que seus pais querem que você venha aqui?

– Eles acham que estou fumando maconha demais, mas meu problema é ansiedade. Fumo porque sou ansiosa, e, se você puder dar um jeito nisso, eu não precisaria mais da erva.

Por um momento, fui tomada por uma tristeza avassaladora. Não por não saber o que recomendar, mas por temer que ela não seguisse o meu conselho.

– Tá, vamos começar por aí. Conte-me sobre a sua ansiedade.

Ela dobrou as pernas longas e graciosas debaixo dela.

– Começou no final do ensino fundamental e tem piorado com os anos. Quando acordo de manhã, a primeira coisa que sinto é ansiedade. A única coisa que me tira da cama é minha *wax pen*.

– Sua *wax pen*?

– É, agora eu vaporizo. Eu costumava usar *blunts** e *bongs*, Sativa de dia, para dar energia, e Indica antes de dormir, para

---

* Maconha colocada dentro de embalagens de charutos após a remoção do tabaco. (N. T.)

relaxar. Mas agora parti para os concentrados... *wax, óleo, budder, shatter, scissor, dust, QWISO*. Uso, principalmente uma caneta vaporizadora, mas às vezes uso um vaporizador Vulcano... Não gosto de comestíveis, mas uso-os nos intervalos, ou numa emergência, quando não dá pra fumar.

▸ D significa dados

Ao pedir que ela contasse mais sobre sua *wax pen*, convidei Delilah a mergulhar nos mínimos detalhes do seu uso diário. Minha conversa com ela foi guiada por uma estrutura que desenvolvi ao longo dos anos para conversar com os pacientes sobre o problema do hiperconsumo compulsivo.

Essa estrutura é facilmente lembrada pelo acrônimo DOPAMINA (em inglês *DOPAMINE*), que se aplica não apenas a drogas convencionais, como álcool e nicotina, mas também a qualquer substância, ou comportamento, de alta dopamina que ingerimos em demasia por muito tempo, ou simplesmente com o qual queríamos ter uma relação um pouco menos torturante. Embora tenha sido, a princípio, desenvolvida para minha prática profissional, também a apliquei em mim mesma e a meus próprios hábitos inadequados de consumo.

O D significa *dados*. Começo reunindo os fatos simples de consumo. No caso de Delilah, averiguei o que ela estava usando, quanto e com que frequência.

Em se tratando de cannabis, a lista atordoante de produtos e de mecanismos de oferta descritos por Delilah é comum para meus pacientes atuais. Muitos deles, quando me procuram, têm o equivalente a um doutorado em maconha. Em contraste com a década de 1960, quando o costume era usar apenas nos fins de semana de lazer, meus pacientes começam a fumar logo que acordam e se mantêm assim o dia todo, até voltar para a cama. Isso é preocupante em muitos níveis, ainda mais que o uso diário tem sido associado a dependência.

Em meu próprio caso, comecei a desconfiar que estava oscilando para a zona de perigo, quando ler romances baratos começou a ocupar várias horas do dia, vários dias seguidos.

▶ O significa objetivos

– O que fumar provoca em você? – perguntei a Delilah. – Ajuda em que sentido?

– É a única coisa que funciona para a minha ansiedade – ela respondeu. – Sem isso, eu seria inútil... Quero dizer, ainda mais inútil do que sou agora.

Ao pedir a Delilah que me contasse como a cannabis a ajudava, eu validava que a droga vinha fazendo algo positivo, ou ela não a estaria usando.

A letra O significa *objetivos* de uso. Mesmo um comportamento aparentemente irracional provém de alguma lógica pessoal. As pessoas usam substâncias e comportamentos com alta dopamina por diversos motivos: para se divertir, se adaptar, aliviar o tédio, lidar com o medo, a raiva, a ansiedade, a insônia, a depressão, a desatenção, a dor, a fobia social... a lista não para.

Eu usava o romance barato para escapar do que, para mim, era uma transição dolorosa de deixar de ser mãe de crianças pequenas para ser mãe de adolescentes, tarefa para a qual me sentia bem menos capacitada. Também estava amenizando meu pesar de nunca mais ter outro bebê, algo que eu queria, mas meu marido não, e que criou uma tensão em nosso casamento e em nossa vida sexual, que antes não existia.

▸ P significa problemas

– Algum aspecto negativo por fumar? Consequências involuntárias?

– A única coisa ruim em fumar é que meus pais não largam do meu pé – respondeu Delilah. – Se me deixassem em paz, não haveria nenhum aspecto negativo.

Observei o sol reluzindo em seu cabelo. Ela era o retrato da saúde, apesar do fato de estar ingerindo mais de 1 grama de cannabis por dia. Pensei: *A juventude compensa muita coisa.*

O P tem a ver com *problemas* relacionados ao uso.

Drogas de alta dopamina sempre levam a problemas. Problemas de saúde, problemas de relacionamento, problemas morais. Se não imediatamente, então mais tarde. O fato de Delilah não conseguir ver aspectos negativos, a não ser o conflito crescente entre ela e os pais, é típico dos adolescentes... mas não apenas dos adolescentes. Essa desconexão ocorre por vários motivos.

Em primeiro lugar, a maioria de nós não consegue ver toda a extensão das consequências do uso da droga, enquanto ainda estamos usando. Substâncias e comportamentos de alta dopamina turvam nossa capacidade de avaliar com precisão causa e efeito.

O neurocientista Daniel Friedman, que estuda as práticas de busca de alimentos das formigas vermelhas ceifeiras, observou certa vez: "O mundo é sensoriamente rico e pobre na relação de causalidade". O que quer dizer que sabemos que um bolo de chocolate é gostoso na hora, mas estamos menos atentos ao fato de que comer uma fatia diariamente, durante um mês, acrescenta dois quilos à nossa cintura.

Em segundo lugar, os jovens, até mesmo os usuários pesados, são mais imunes às consequências negativas de uso. Um professor do ensino médio me disse certa vez: "Alguns dos meus melhores alunos fumam maconha todos os dias".

No entanto, à medida que envelhecemos, as consequências involuntárias do uso crônico se multiplicam. A maioria dos meus pacientes que vem se tratar voluntariamente é de meia-idade. Eles me procuram por terem chegado a um ponto crítico em que as desvantagens do uso superam as vantagens. Como dizem no AA, estão doentes e cansados de estarem doentes e cansados. Por outro lado, meus pacientes adolescentes não estão doentes nem cansados.

Mesmo assim, conseguir que os adolescentes vejam algumas consequências negativas em seu uso, enquanto ainda estão usando, mesmo que seja apenas o fato de outras pessoas não gostarem disso, pode servir de alguma influência para que eles parem. E parando, ainda que seja só por um período, é essencial para levá-los a enxergar a verdadeira relação de causa e efeito.

▸ A significa abstinência

– Tenho uma ideia do que poderia ajudar você – disse a Delilah –, mas será preciso que você faça uma coisa realmente difícil.

– O quê?

– Gostaria que você fizesse uma experiência.

– Uma experiência? – Ela inclinou a cabeça de lado.

– Gostaria que você parasse de usar cannabis durante um mês. Seu rosto ficou impassível.

– Vou explicar. Em primeiro lugar, os tratamentos para ansiedade provavelmente não funcionarão se você estiver fumando essa quantidade de cannabis. Em segundo lugar, e mais importante, existe uma nítida possibilidade de que, se você parar de fumar durante um mês inteiro, sua ansiedade melhorará por conta própria. É claro que no começo você vai se sentir pior por causa da abstinência. Mas se conseguir atravessar as duas primeiras semanas, existe uma boa chance de que nas duas semanas seguintes você começará a se sentir melhor.

Ela permaneceu quieta, então continuei. Expliquei que qualquer droga que estimule nosso circuito de recompensa, da maneira que a cannabis faz, tem o potencial de mudar o patamar de ansiedade do nosso cérebro. O que parece ser a cannabis tratando a ansiedade pode, na verdade, ser a cannabis aliviando a abstinência da nossa última dose. A cannabis torna-se a causa da nossa ansiedade, e não a cura. A única maneira de ter certeza disto é largar por um mês.

– Pode ser uma semana? – ela perguntou. – Eu já fiz isso antes.

– Uma semana seria bom, mas, pela minha experiência, um mês é o tempo mínimo que leva para reconfigurar o circuito de recompensa do cérebro. Se você não se sentir melhor depois de quatro semanas de abstinência, também será um dado útil. Significa que a cannabis não está provocando a ansiedade, e precisaremos pensar no que mais possa ser. Então, o que você acha? Acha que conseguiria e estaria disposta a parar a cannabis por um mês?

– Huuum... Não acho que esteja pronta para tentar largar agora, mas talvez mais tarde. Com certeza, não vou ficar fumando desse jeito pelo resto da vida.

– Você quer continuar usando cannabis assim daqui a dez anos?

– Não, nem pensar. Com certeza não. – Ela sacudiu a cabeça com energia.

– E daqui a cinco anos?

– Não, nem daqui a cinco anos.

– Que tal daqui a um ano?

Ela deu uma risadinha.

– Acho que você me pegou. Se não quiser continuar usando deste jeito daqui a um ano, deveria pensar em parar agora, né? – Olhou para mim e sorriu. – Tudo bem, eu topo.

Ao pedir a Delilah que refletisse sobre seu comportamento atual, à luz da sua situação futura, eu esperava que largar de fumar assumiria uma nova urgência. Pareceu que tinha funcionado.

A significa *abstinência*.

A abstinência é necessária para restaurar a homeostase, e com ela nossa capacidade de obter prazer de recompensas menos potentes, bem como ver a verdadeira causa e efeito entre nosso uso de substância e a maneira como nos sentimos. Colocando em termos da balança prazer-sofrimento, o jejum de dopamina permite-nos um tempo suficiente para que os *gremlins* se afastem da balança, e ela retorne à posição nivelada.

A questão é: de quanto tempo as pessoas precisam se abster para experimentar os benefícios do cérebro por ter parado?

Relembre o estudo de imagens da neurocientista Nora Volkow, em que a transmissão de dopamina continua abaixo do normal depois de duas semanas sem as drogas.[1] O estudo dela é consistente com minha experiência clínica de que duas semanas de abstinência não bastam. Em geral, depois de duas semanas os pacientes ainda estão vivenciando a supressão. Eles ainda estão num *estado de déficit de dopamina*.

Por outro lado, quatro semanas são suficientes. Marc Schuckit e seus colegas estudaram um grupo de homens que bebiam álcool diariamente em grandes quantidades e correspondiam ao critério para depressão clínica, ou o que é chamado de *transtorno depressivo maior*.

Schuckit, professor de psicologia experimental na Universidade Estadual de San Diego, é mais conhecido por demonstrar que os filhos biológicos de alcoólicos têm um risco genético maior de desenvolver um transtorno por uso de álcool, em comparação com aqueles sem essa carga genética. Tive o prazer de aprender com Marc, um professor talentoso, em uma série de conferências sobre dependência no início dos anos 2000.

Os homens depressivos do estudo de Schuckit internaram-se no hospital por quatro semanas, durante as quais não receberam tratamento para depressão, a não ser parar com o álcool. Depois de um mês sem beber, 80% deles já não atendiam aos critérios para depressão clínica.[2]

Esta descoberta indica que, para a maioria, a depressão clínica resultava de uma bebedeira excessiva, e não de um transtorno depressivo concomitante. É claro que existem outras explicações para esses resultados: o meio terapêutico do ambiente hospitalar, uma remissão espontânea, a natureza episódica da depressão, que pode vir e ir independentemente de fatores externos. Mas as descobertas robustas são notáveis, considerando que os tratamentos padrão para depressão, seja com medicamentos, seja com psicoterapia, têm um índice de resposta de 50%.[3]

É claro, já atendi pacientes que precisaram de menos de quatro semanas para reconfigurar seu circuito de recompensa, e outros que precisaram de muito mais tempo. Aqueles que usam drogas mais potentes em quantidades maiores por um prazo maior normalmente precisarão de mais tempo. Pessoas mais jovens se recalibram mais rápido do que as mais velhas, porque seu cérebro é mais plástico. Além disso, a abstinência física varia de droga para droga. Pode ser menor para algumas drogas, como video games, mas potencialmente um risco de vida para outras, como álcool e benzodiazepínicos.

O que nos traz para uma importante ressalva: nunca sugiro um jejum de dopamina para indivíduos que poderiam correr risco de sofrer abstinência potencialmente fatal caso largassem tudo de uma vez, como no caso da dependência severa de álcool, benzodiazepínicos (Xanax, Valium ou Klonopin/Rivotril), ou opioides e sua retirada. Para esses pacientes, é necessária uma redução gradual com monitoramento médico.

Às vezes, os pacientes perguntam se podem trocar uma droga por outra: cannabis por nicotina, video games por pornografia. Raramente, é uma estratégia efetiva a longo prazo.

Qualquer recompensa que seja potente o suficiente para superar os *gremlins* e inclinar a balança na direção do prazer pode ser, por si mesma, adictiva, resultando, assim, em trocar uma dependência por outra (dependência cruzada). Qualquer recompensa que não seja potente não parecerá uma recompensa, motivo pelo qual, quando estamos consumindo recompensas de alta dopamina, perdemos a capacidade de extrair alegria de prazeres comuns.

Prazer — Sofrimento

Uma minoria de pacientes (cerca de 20%) não se sente bem depois do jejum de dopamina. Este também é um dado importante, porque me diz que a droga não era o principal acionador do sintoma psiquiátrico, e que é provável que o paciente tenha um transtorno psiquiátrico concomitante, que exigirá um tratamento próprio.

Mesmo quando o jejum de dopamina é benéfico, um transtorno psiquiátrico concomitante deveria ser tratado concomitantemente. Cuidar da dependência sem também abordar outros transtornos psiquiátricos normalmente leva a maus resultados para ambos os casos.

Todavia, para avaliar a relação entre o uso de substância e os sintomas psiquiátricos, é preciso observar o paciente por um período razoável, sem as recompensas de alta dopamina.

▸ **M significa *mindfulness***

— Quero que você esteja preparada para se sentir pior antes de se sentir melhor — expliquei para Delilah. — Quero dizer com isso que, quando parar a cannabis pela primeira vez, sua ansiedade vai piorar. Mas lembre-se, não é a ansiedade com a qual você terá que conviver sem a maconha. É a ansiedade mediada pela retirada. Quanto mais tempo você ficar sem usar, mais rápido chegará ao ponto em que se sentirá melhor. Em geral, os pacientes relatam uma virada depois de duas semanas.

– Tudo bem. O que devo fazer enquanto isso? Você tem algum comprimido que possa me dar?

– Não há nada que eu possa te dar para acabar com o sofrimento que também não provoque dependência. Como não queremos trocar uma dependência por outra, o que estou te pedindo é para tolerar a dor.

Ela engoliu em seco.

– É, eu sei. É puxado. Mas é também uma oportunidade. Uma chance para você se observar em separado dos seus pensamentos, das suas emoções e sensações, inclusive do sofrimento. Esta prática é, às vezes, chamada de *mindfulness*.

M significa *mindfulness*, ou *atenção plena*.

Mindfulness é um termo tão banalizado agora que perdeu um pouco do seu significado. Desenvolvido na tradição espiritual budista de meditação, foi adotado e adaptado pelo Ocidente como uma prática de bem-estar em muitas disciplinas diferentes. Penetrou tão profundamente na consciência ocidental que agora virou rotina ensinar essa técnica nas escolas de ensino infantil dos Estados Unidos. Mas o que é de fato *mindfulness*?

Mindfulness é simplesmente a capacidade de observar o que nosso cérebro está fazendo, enquanto estiver fazendo, sem julgamento. E é mais difícil do que parece. O órgão que usamos para observar o cérebro é o próprio cérebro. Esquisito, não é?

Quando olho para a Via Láctea, no céu noturno, fico sempre admirada com o mistério de ser parte de algo que parece tão distante e separado. Praticar *mindfulness* é como observar a Via Láctea: exige que enxerguemos nossos pensamentos e nossas emoções separados de nós e, no entanto, ao mesmo tempo, parte de nós.

Além disso, o cérebro pode fazer algumas coisas bem esquisitas, algumas das quais são constrangedoras, daí a necessidade de ser *sem julgamento*. Excluir julgamento é importante para a prática de *mindfulness* porque assim que começamos a condenar o que nosso cérebro está fazendo – *Eita! Por que eu pensaria isso? Sou um caso perdido, uma loucura* – deixamos de ser capazes de observar. Ficar na posição de observador é essencial para conhecer nosso cérebro e nós mesmos de uma maneira nova.

Eu me lembro de estar parada na cozinha, em 2001, segurando nos braços minha bebê recém-nascida, quando me veio a imagem intrusiva de esmagar a cabeça dela contra a geladeira, ou o balcão da cozinha, vendo-a explodir como um melão maduro. A imagem foi fugidia, mas vívida, e se eu não fosse uma praticante regular de *mindfulness*, teria feito o possível para ignorá-la.

De início, fiquei horrorizada. Como psiquiatra, tinha tratado mães que, como resultado de sua doença mental, achavam que tinham de matar os filhos para salvar o mundo. Uma delas de fato fez isso, um desenlace do qual me lembro com tristeza e lamento até hoje. Então, quando vivenciei a imagem de machucar minha própria filha, me perguntei se estaria ingressando naquele grupo.

Mas, lembrando-me de observar sem julgamento, acompanhei a imagem e o sentimento até onde eles levavam e descobri que não *queria* esmagar a cabeça da minha bebê; eu tinha era muito medo de fazer isso. O medo tinha se manifestado como imagem.

Em vez de me condenar, consegui ter compaixão por mim mesma. Eu estava penando com a enormidade das minhas responsabilidades como mãe de primeira viagem e com o que significava cuidar de uma criatura tão indefesa, tão dependente de mim para protegê-la.

As práticas de *mindfulness* são especialmente importantes nos primeiros dias de abstinência. Muitos de nós usam substâncias e comportamentos de alta dopamina para se distrair de seus próprios pensamentos. Quando acabamos de largar o uso da dopamina como fuga, esses pensamentos, emoções e sensações dolorosos vêm para cima da gente.

O truque é parar de fugir das emoções dolorosas e, em vez disso, se permitir tolerá-las. Quando conseguimos fazer isto, nossa experiência assume uma textura nova, inesperadamente rica. A dor continua lá, mas de certo modo transformada; parece abarcar uma vasta paisagem de sofrimento comum, mais do que ser totalmente só nosso.

Quando larguei meu hábito de leitura, fui tomada, nas primeiras semanas, por um terror existencial. Deitava-me no sofá à noite, hora em que recorreria a um livro ou algum outro método de distração, as mãos dobradas sobre o estômago, tentando relaxar, mas me sentindo cheia de medo. Fiquei chocada que uma mudança aparentemente tão pequena na minha rotina diária pudesse me encher de tanta ansiedade.

Então, com o passar dos dias, e com a continuidade da prática, vivenciei um relaxamento gradual dos meus limites mentais, e uma expansão da minha consciência. Comecei a ver que não precisava me distrair continuamente do momento presente. Que poderia vivê-lo e tolerá-lo, e talvez até fazer mais.

I significa insight

Delilah concordou com um mês de abstinência. Quando voltou, sua pele reluzia, os ombros já não estavam caídos, e sua atitude mal-humorada tinha sido substituída por um sorriso radiante. Entrou pisando firme na minha sala e ocupou uma cadeira.

– Bom, consegui! E você não vai acreditar, mas minha ansiedade sumiu, sumiu!

– Me conte o que aconteceu.

– Os primeiros dias foram pesados. Eu me senti horrível. Vomitei no segundo dia. Insano! Eu nunca vomito. Me sentia bem enjoada. Foi aí que percebi que estava largando, e isso me motivou a continuar com a abstinência.

– Por que isso te motivou?

– Porque foi a primeira prova que tive de que eu era mesmo dependente.

– E aí, como foi depois disso? Como você se sente agora?

– Cara. Muito melhor. Uau. Menos ansiedade. Sem dúvida, essa palavra ansiedade nem vem na minha cabeça. Ela costumava governar o meu dia. Tô lúcida. Não preciso me preocupar com os meus pais sentindo o cheiro e ficando putos. Não fico mais ansiosa na escola. A paranoia, a desconfiança... Isso acabou. Passava muito tempo e dedicava muito esforço mental organizando minha próxima "viagem", correndo pra ficar chapada. É um baita alívio não ter mais que fazer isso. Estou economizando dinheiro. Descobri acontecimentos de que gosto mais quando estou sóbria... tipo os encontros de família.

"Estou te contando a verdade. Eu não via a erva como um problema. Não via mesmo. Mas agora que deixei de fumar, percebo o quanto fumar causava ansiedade em vez de curar. Fumei durante cinco anos sem parar e não via o que estava fazendo comigo. Sinceramente, estou meio que chocada."

I significa *insight*.

Tenho visto repetidas vezes em tratamento clínico, e na minha própria vida, como o simples exercício de se abster da nossa droga de escolha por pelo menos quatro semanas dá um insight esclarecedor sobre nosso comportamento. Um insight que simplesmente não é possível enquanto continuamos usando.

▸ N significa novos passos

Quando meu encontro com Delilah chegou ao fim, perguntei-lhe sobre os objetivos para o próximo mês.

– Então, o que você acha? Quer continuar a abstenção pelo próximo mês, ou quer voltar a usar?

– Ficar sóbria – respondeu Delilah. – Estou na minha melhor versão.

Saboreei o momento.

– Mas ainda gosto mesmo de erva, e sinto falta da sensação criativa que ela me dava, e da fuga. Não quero parar de usar. Gostaria de voltar a usar, mas não como antes – ela explicou.

***

N significa *novos passos*.

É então que pergunto a meus pacientes o que eles querem fazer depois do seu mês de abstinência. A grande maioria deles, dos que conseguem se abster por um mês e vivenciam os benefícios da abstinência, mesmo assim quer voltar a usar sua droga. Mas querem usá-la de um jeito diferente do que usavam antes. O tema onipresente é que querem usar menos.

Uma conversa constante no campo da medicina de dependência é se as pessoas que usaram droga de maneira adictiva podem se acostumar a um uso moderado e sem risco. Por décadas, o conhecimento dos Alcoólicos Anônimos ditava que a abstinência é a única opção para pessoas com dependência.

Mas uma evidência emergente sugere que algumas pessoas que preencheram os critérios para dependência no passado, especialmente as com formas menos severas de dependência, podem voltar a usar sua droga de escolha de maneira controlada.[4] Em minha experiência clínica, isso tem sido verdade.

E significa experimento

A letra final de *dopamine* (dopamina, em inglês) significa *experimento*.

É o que ocorre quando os pacientes voltam para o mundo armados com um novo ponto de ajuste de dopamina (uma balança equilibrada de prazer-sofrimento) e um plano de como mantê-la equilibrada. Quer o objetivo seja continuar com a abstinência, quer seja a moderação, como no caso de Delilah, planejamos juntos como consegui-lo. Através de um processo gradual de tentativa e erro, deduzimos o que funciona e o que não funciona.

Eu seria negligente se não observasse que o objetivo da moderação, em especial para pessoas com dependência severa, pode ser um tiro pela culatra, contribuindo para uma intensificação precipitada de uso depois de um período de abstinência, às vezes citada como *efeito de violação da abstinência*.[5]

Após um período de duas a quatro semanas de abstinência, ratos que demonstram uma propensão genética a se tornarem dependentes de álcool vão cair na bebedeira assim que tiverem acesso à bebida e continuarão a consumi-la pesadamente dali em diante, como se nunca tivessem passado pela abstinência.[6] Um fenômeno semelhante tem sido observado em ratos fissurados em alimentos de altas calorias. O efeito é atenuado em ratos e camundongos menos predispostos geneticamente a consumo compulsivo.

O que não fica claro nos estudos com animais é se esse fenômeno compulsivo pós-abstinência é limitado a drogas calóricas, como alimentos e álcool, e não percebido em drogas não calóricas, como cocaína; ou se o verdadeiro indutor é a predisposição genética dos próprios ratos.

Mesmo quando a moderação é possível, muitos dos meus pacientes relatam que é exaustivo demais continuar e acabam optando pela abstinência por um longo tempo.

Mas e os pacientes dependentes de comida? Ou de smartphones? Drogas que não podem ser totalmente largadas?

A questão de como moderar está se tornando cada vez mais importante na vida de hoje, por causa da absoluta onipresença de bens de alta dopamina, tornando-nos todos mais vulneráveis a um hiperconsumo compulsivo, mesmo quando não correspondemos aos critérios clínicos para dependência.

Além disso, como as drogas digitais, tais como os smartphones, passaram a se integrar a tantos aspectos da nossa vida, imaginar como moderar seu consumo, para nós mesmos e para nossos filhos, tem se tornado uma questão de urgência. Com essa finalidade, apresento nas próximas páginas uma classificação de estratégias de autocomprometimento.

Mas, antes de falarmos sobre autocomprometimento, vamos rever os passos do jejum de dopamina, cuja principal finalidade é restaurar o equilíbrio (homeostase) e renovar nossa capacidade de experienciar prazer em muitas formas diferentes. ■

D = Dados
O = Objetivos
P = Problemas
A = Abstinência
M = *Mindfulness*
I = Insight
N = Novos passos
E = Experimento

CAPÍTULO 5

Espaço, tempo e significado

NO FINAL DE 2017, depois de um ano de abstinência de comportamentos sexuais compulsivos, Jacob teve uma recaída. Estava com 65 anos.

O gatilho foi uma viagem ao Leste Europeu para visitar a família, complicada pelos atritos entre sua mulher atual e os filhos do primeiro casamento – problemas de dinheiro e quem ganha o quê, um velho refrão.

Com duas semanas de viagem, os filhos estavam bravos porque ele não havia lhes dado o dinheiro que tinham pedido. A esposa estava brava porque ele estava pensando em dar dinheiro a eles. Ele estava com medo de decepcionar um ou outro e por isso corria o risco de decepcionar a todos.

Ele me mandou um email do exterior para me contar que estava se esforçando. Ainda não tinha tido nenhuma recaída, mas estava por pouco. Dei algumas orientações por telefone e lhe disse para vir me ver assim que voltasse para casa. Ele entrou na sala uma semana depois de voltar, mas era tarde demais.

– Foi a TV no quarto do hotel que começou a me deixar novamente com desejo – ele me contou. – Quero assistir US Open. Deito ali zapeando os canais, me sentindo deprimido, pensando na minha família, na minha mulher, e que todo mundo está zangado comigo. Vejo mulher nua na TV. Até ver a TV, eu *estar* muito bem. Não *ter* impulsos. O maior erro é quando ligo a TV, começo pensar em voltar a meus velhos hábitos e não consigo parar os pensamentos.

— Então, o que aconteceu?

— Na terça-feira, eu vou pra casa. Não vou pro trabalho. Fico em casa assistindo YouTube. Vejo pintura corporal... pessoas pintando corpos nus uns dos outros. Acho que é um tipo de arte. Na quarta-feira, não consigo resistir mais. Saio e compro as peças para fazer de novo a minha máquina.

— Sua máquina de estimulação elétrica?

— É – ele disse, com tristeza, mal me encarando. – O problema é quando você começa, você fica em êxtase por bastante tempo. É como estar em transe. E é um grande alívio. Não penso em mais nada. Passo vinte horas sem parar. Passo toda a quarta-feira, e noite adentro. Na quinta de manhã, jogo partes da máquina no lixo e volto a trabalhar. Na sexta-feira de manhã, torno a tirar as peças do lixo, conserto e uso o dia todo. Na sexta-feira à noite, ligo para o meu padrinho e no sábado vou a uma reunião dos Sexaholics Anonymous*. No domingo, tiro as peças do lixo e uso de novo. E na segunda-feira a mesma coisa. Quero parar, mas não consigo. O que faço?

— Embale a máquina e qualquer peça sobressalente e jogue tudo no lixo – digo para ele. – Em seguida, entregue o lixo para o caminhão ou leve para qualquer outro lugar em que seja impossível recuperá-lo. – Ele assentiu, concordando. – Depois, a qualquer hora em que você tenha a ideia, o impulso, o desejo de usar a máquina, ajoelhe-se e reze. Só reze. Peça ajuda a Deus, mas reze de joelhos. Isso é importante.

Convergi o mundano e o metafísico. Segundo minha ponderação, nada era golpe baixo demais. Logicamente, dizer a ele para rezar era quebrar regras não escritas. Médicos não falam em Deus,

---

* No Brasil, Dependentes de Amor e Sexo Anônimos – D.A.S.A. (N. T.)

mas acredito em acreditar, e meus instintos me diziam que isso ressoaria em Jacob, criado como católico.

Dizer a ele para cair de joelhos era também uma maneira de inserir alguma fisicalidade na coisa, qualquer coisa que quebrasse a compulsão mental que o estava compelindo a usar. Ou, talvez, eu reconhecesse uma necessidade mais profunda de que ele tivesse que encenar sua submissão.

– Depois de rezar, levante-se e ligue para seu padrinho – continuei. Ele voltou a acenar a cabeça, concordando. – Ah, e perdoe a você mesmo, Jacob. Você não é um homem ruim. Você tem problemas, assim como todos nós.

Autocomprometimento[1] é o termo para descrever o ato de Jacob jogar fora sua máquina. É a maneira de criar, de forma intencional e espontânea, barreiras entre a gente e nossa droga de escolha, para mitigar o hiperconsumo compulsivo. O autocomprometimento não é, sobretudo, um ato de vontade, embora a ação pessoal tenha alguma participação. Pelo contrário, o autocomprometimento reconhece abertamente as limitações da vontade.

A chave para criar um autocomprometimento efetivo é, em primeiro lugar, reconhecermos a perda de voluntariedade que ocorre quando estamos sob o fascínio de uma forte compulsão, e nos comprometermos enquanto ainda temos a capacidade de uma escolha voluntária.

Se esperarmos até sentir a compulsão de usar, será quase impossível resistir ao impulso reflexivo de procurar prazer e/ou evitar sofrimento. Na agonia do desejo, não há escolha. Mas, ao criar barreiras tangíveis entre nós mesmos e nossa droga de escolha, pressionamos o botão de pausa entre desejo e ação.

Além disso, o autocomprometimento tem se tornado uma necessidade moderna. Regras e sanções externas, como impostos sobre cigarros, restrições de idade para álcool e leis proibindo a posse de cocaína, embora necessárias, nunca serão suficientes em um mundo onde o acesso a uma variedade sempre crescente de produtos de alta dopamina é praticamente infinito.

Há anos, meus pacientes vêm me contando sobre suas estratégias de autocomprometimento. A certa altura, comecei a anotá-las. Reaproveito estratégias que aprendo com uns para aconselhar outros, como fiz com Jacob, quando lhe disse para se livrar da máquina num lugar distante, que não lhe permitiria recuperá-la mais tarde.

Pergunto a meus pacientes: "Que tipo de barreiras você pode colocar em prática para dificultar o fácil acesso à sua droga de escolha?". Já usei autocomprometimento em minha própria vida para lidar com problemas de hiperconsumo compulsivo.

O autocomprometimento pode ser classificado em três amplas categorias: estratégias físicas (espaço), estratégias cronológicas (tempo) e estratégias categóricas (significado).

Como você verá a seguir, o autocomprometimento não é isento de falhas, particularmente para aqueles com dependência severa. Ele também pode ser vítima de autoengano, má-fé, e ciência imperfeita.

Mas é um ponto de partida bom e necessário.

▶ Autocomprometimento físico

Na *Odisseia*, de Homero, entre os inúmeros perigos que esperavam Ulisses em sua viagem de volta para casa depois da guerra de Troia, o pior eram as sirenas[*], criaturas metade-mulher, metade-pássaro, cujas canções encantadas atraíam marinheiros para a morte nos penhascos rochosos de ilhas próximas.

---

[*] No original, *siren*. Em inglês, existem duas palavras para "sereia", *siren* e *mermaid*. Embora ambas sejam criaturas aquáticas, a primeira é metade humana, metade pássaro, e seria quem atrai os marinheiros para a morte com seu maravilhoso canto. Também temos em português a palavra sirena, embora seja pouco usada, inclusive nas referências a Ulisses. *Mermaid*, por sua vez, é a nossa conhecida sereia, metade mulher, metade peixe, que vive pacificamente nas profundezas do mar, longe do contato com humanos. (N. T.).

A única maneira de um marinheiro passar incólume pelas sereias era não as ouvir cantar. Ulisses ordenou que sua tripulação pusesse cera de abelha nos ouvidos e o amarrassem ao mastro do veleiro, prendendo-o ainda com mais força se ele implorasse para ser solto, ou tentasse se livrar.

Assim como ilustra este famoso mito grego, uma forma de autocomprometimento é criar barreiras físicas literais e/ou distância geográfica entre nós mesmos e nossa droga de escolha. Aqui estão alguns exemplos compartilhados por meus pacientes: "Tirei a TV da tomada e guardei-a no armário", "Levei meu video game para a garagem", "Não uso cartão de crédito, só dinheiro", "Ligo antes para os hotéis e peço para tirarem o minibar", "Ligo antes para os hotéis e peço para tirarem o minibar e a televisão", "Coloquei meu iPad num cofre de banco".

Meu paciente Oscar, um homem gorducho no final dos seus 70 anos, com uma mente acadêmica, um vozeirão e uma queda para falar em solilóquios, tanto que arrumou confusão num grupo de terapia e teve que sair, tinha o hábito de beber em excesso enquanto trabalhava em seu escritório, mexia em sua garagem e zanzava pelo jardim.

Por tentativa e erro, ele aprendeu que para impedir esse comportamento, tinha que tirar todo o álcool de casa. Qualquer álcool trazido para dentro de casa precisava ser trancado num armário, do qual só sua esposa tinha a chave. Usando este método, Oscar conseguiu se abster do álcool com sucesso durante anos.

Mas aviso que o autocomprometimento não é uma garantia. Às vezes, a própria barreira passa a ser um convite a um desafio. Resolver o enigma de como conseguir nossa droga de escolha torna-se parte da atração.

Um dia, a esposa de Oscar, ao sair da cidade, trancou uma garrafa cara de vinho em uma gaveta e levou as chaves com ela. Na primeira noite em que ela estava fora, Oscar começou a pensar na garrafa, que ele sabia onde estava. O pensamento invadiu sua consciência como uma presença física. Não era dolorosa, apenas incômoda. *Se eu for só dar uma olhada para ter certeza de que está trancada, vou parar de pensar nisso,* disse consigo mesmo.

Foi até o escritório da esposa e puxou a gaveta. Para sua surpresa, ela abriu um pouquinho, e ele pôde ver a garrafa em pé, entre as pastas. Não dava para tirá-la, mas era o bastante para ver a rolha, tentadoramente fora do alcance.

Ficou ali parado, olhando dentro da gaveta escura por um minuto, contemplando a garrafa. Em parte, queria fechar a gaveta, em parte não conseguia deixar de olhar para ela. Então, algo estalou em seu cérebro e ele decidiu – ou talvez tenha parado de tentar não decidir. Pôs-se em ação.

Correu para pegar sua caixa de ferramentas na garagem. Acomodando-se para trabalhar, usou uma ampla variedade de ferramentas para tentar desmontar a fechadura e abrir a gaveta. Trabalhou totalmente concentrado e determinado, mas não conseguiu abrir a gaveta. Nenhuma das suas ferramentas entrou na fechadura.

Então, a resposta lhe veio como um nó que repentinamente se desfaz sob os dedos. *Claro. Por que não pensei nisso antes? É tão óbvio!*

Ele se sentou. Não precisava mais correr. Seu objetivo estava próximo. Calmamente, guardou as ferramentas, menos uma, seu alicate de bico longo. Abriu a rolha da garrafa com o alicate, deixou a rolha e o alicate cuidadosamente sobre a mesa, e foi até a cozinha pegar a única ferramenta que faltava: um longo canudo.

Onde a gaveta de Oscar fracassou, novos dispositivos poderiam ter funcionado. Nos Estados Unidos, alguns cofres de cozinha têm mais ou menos o tamanho de uma caixa de sapatos e são feitos de um plástico transparente impenetrável. Acomodam tudo, de biscoitos a iPhones e medicamentos opioides. Uma girada do timer tranca a fechadura do cofre. Depois que o timer é acionado, não dá para abrir a fechadura até a hora marcada.

O autocomprometimento físico agora está disponível em sua farmácia local. Em vez de trancar nossas drogas em uma gaveta, temos a opção de impor fechaduras no nível celular.

O medicamento naltrexona, usado para o tratamento do alcoolismo e da dependência de opioide, também está sendo usado para uma variedade de outras dependências, de jogos de azar a comida e compras em excesso. A naltrexona bloqueia o receptor opioide, o que, por sua vez, diminui os efeitos de reforço de diferentes tipos de comportamento compensatório.

Tive pacientes que, com a naltrexona, relataram uma interrupção parcial ou completa do desejo por álcool. Para pacientes que vêm lutando há décadas com esse problema, a capacidade de não beber de jeito nenhum ou de beber com moderação como "pessoas normais" surge como uma revelação.

Como a naltrexona bloqueia nosso sistema opioide endógeno, as pessoas se perguntaram, com razão, se poderia induzir à depressão. Não há evidência confiável a este respeito, mas ocasionalmente recebo pacientes que relatam uma diminuição do prazer com a naltrexona.

Um paciente me disse: "A naltrexona me ajuda a não beber álcool, mas não gosto tanto de bacon quanto costumava, nem de duchas quentes, e não consigo ter aquela euforia depois de correr". Trabalhamos nisto, fazendo-o tomar naltrexona meia hora antes de entrar numa situação onde haja risco de beber,[2] tal como uma happy hour. Usar a naltrexona conforme a necessidade permitiu-lhe beber com moderação, e também voltar a gostar de bacon.

Em meados de 2014, um dos meus alunos e eu fomos para a China entrevistar pessoas que buscavam tratamento para dependência de heroína no New Hospital, um hospital de tratamento voluntário para dependência, sem verba governamental, em Beijing.[3]

Conversamos com um homem de 38 anos, que descreveu que, antes de ir para o New Hospital para tratamento, tinha recebido a "cirurgia para dependência". A cirurgia para dependência consistia na inserção de um implante de longo efeito de naltrexona, para bloquear os efeitos da heroína.

– Em 2007 – ele contou – fui para a província de Wuhan para a cirurgia. Meus pais me obrigaram a ir e pagaram por ela. Não sei ao certo o que os cirurgiões fizeram, mas posso dizer que não funcionou. Depois da cirurgia, fiquei injetando heroína. Não conseguia mais ter a sensação, mas continuava injetando do mesmo jeito porque era o meu costume. Pelos seis meses seguintes, eu me injetei todos os dias, sem sentir nada. Não pensei em parar porque ainda tinha dinheiro para comprá-la. Passados seis meses, a sensação voltou. Então, cá estou, agora, esperando que eles tenham algo novo e melhor para mim.

Esta história demonstra ser improvável que apenas a farmacoterapia, sem insight, compreensão e vontade de mudar o comportamento, funcione.

Outro medicamento usado para tratar a dependência alcoólica é o dissulfiram. Ele interrompe o metabolismo alcoólico, levando ao acúmulo de acetaldeído que, por sua vez, causa uma severa reação de vermelhidão, náusea, vômito, pressão sanguínea elevada e uma sensação geral de mal-estar.

Tomar dissulfiram diariamente é um eficiente meio de dissuasão para aqueles que estão tentando evitar o álcool, especialmente pessoas que acordam de manhã determinadas a não beber, mas à noite já perderam sua determinação. Acontece que a força de vontade não é um recurso humano infinito. É mais como exercitar um músculo, que pode ficar cansado se o usamos demais. Como disse um paciente: "Com o dissulfiram, só preciso decidir não beber uma vez por dia. Não tenho que ficar decidindo o dia todo".

Algumas pessoas, mais comumente as do Leste Asiático, têm uma mutação genética que as leva a ter uma reação ao álcool como a provocada pelo dissulfiram, sem a droga.[4] Historicamente, esses indivíduos tiveram porcentagens menores de dependência alcoólica.

É digno de nota que, em décadas recentes, o aumento de consumo alcoólico nos países do Leste Asiático levou a índices maiores de dependência alcoólica, mesmo nesse grupo previamente protegido. Agora, os cientistas estão descobrindo que quem tem a mutação e bebe mesmo assim tem um risco maior de cânceres relacionados ao álcool.

Como em todas as formas de autocomprometimento, o dissulfiram é falível. Meu paciente Arnold bebeu pesadamente durante décadas, problema que só piorou depois de ele ter sofrido um sério acidente vascular cerebral e perdido um pouco da função do lóbulo frontal. Seu cardiologista disse-lhe que ele tinha que parar de beber ou morreria. Os riscos eram altos.

Prescrevi dissulfiram e disse a Arnold que a droga o deixaria enjoado, caso ele bebesse enquanto estivesse sob tratamento. Para garantir que Arnold a tomasse, sua esposa lhe dava o comprimido toda manhã e depois pedia que abrisse a boca, para ter certeza de que ele havia engolido.

Um dia, enquanto a esposa estava fora, Arnold foi até um bar, comprou uma dose de uísque e bebeu. Quando a esposa chegou em casa e o encontrou bêbado, o que mais a intrigou foi o dissulfiram não ter deixado Arnold enjoado. Ele estava intoxicado, mas não doente.

Um dia depois, ele confessou. Durante os três dias anteriores, ele não tinha engolido o comprimido. Em vez disto, enfiava-o no vão deixado na falta de um dente.

Outras formas modernas de autocomprometimento físico envolvem mudanças anatômicas no corpo, por exemplo, cirurgias para perda de peso, tal como a banda gástrica, a gastrectomia tubular e o *bypass* gástrico.

Essas cirurgias realmente criam um estômago menor e/ou desviam a parte do estômago que absorve calorias. A banda gástrica coloca um anel físico em volta do estômago, deixando-o menor, sem remover qualquer parte dele ou do intestino delgado. A gastrectomia tubular remove cirurgicamente parte do estômago para deixá-lo menor. A cirurgia do *bypass* gástrico redireciona o intestino delgado ao redor do estômago e do duodeno, onde os nutrientes são absorvidos.

Minha paciente Emily fez uma cirurgia de *bypass* gástrico em 2014 e, em um ano, conseguiu ir de 113 quilos para 52 quilos. Nenhuma outra intervenção, e ela tinha tentado todas, havia possibilitado que ela perdesse peso. Emily não está só.

As cirurgias para perda de peso têm se revelado uma intervenção efetiva para obesidade, especialmente quando outros remédios fracassaram. Mas elas não são desprovidas de consequências imprevistas.

Um em quatro destinatários de cirurgia de *bypass* gástrico desenvolve um novo problema com dependência alcoólica.[5] Em seguida à cirurgia, Emily também ficou dependente de álcool. Os motivos são muitos.

A maioria dos obesos tem uma dependência subjacente à comida, que não é tratada adequadamente apenas com cirurgia. Poucas pessoas que se submetem a essas cirurgias recebem as intervenções comportamentais e psicológicas necessárias para ajudá-las a mudar seus hábitos alimentares. Sendo assim, muitas delas voltam a comer de maneira não saudável, expandem seus estômagos agora menores e acabam com complicações médicas e a necessidade de repetidas cirurgias. Quando a comida deixa de ser uma opção, muitas mudam da comida para outra droga, como o álcool.

Além do mais, a cirurgia altera a maneira como o álcool é metabolizado, aumentando a taxa de absorção. A ausência de um estômago de tamanho normal significa que o álcool é absorvido na corrente sanguínea quase instantaneamente, pulando o metabolismo de primeira passagem, que normalmente acontece no estômago. O resultado é que os pacientes ficam intoxicados mais rápido e permanecem intoxicados por mais tempo com menos álcool, como se recebessem a bebida direto na veia.

Podemos e devemos celebrar uma intervenção médica que consiga melhorar a saúde de tantas pessoas, mas o fato de termos que recorrer à remoção e remodelação de órgãos internos para acomodar nossa quantidade de comida assinala uma reviravolta na história do consumo humano.

De cofres que limitam nosso acesso a medicamentos que bloqueiam nossos receptores de opioides a cirurgias que encolhem nosso estômago, o autocomprometimento físico está por toda parte na vida moderna, ilustrando nossa crescente necessidade de brecar a dopamina.

Quanto a mim, quando havia livros a um estalo de distância, estava propensa a me estender em fantasia por mais tempo do que queria, ou que fosse bom para mim. Livrei-me do meu Kindle e do fácil acesso a um fluxo constante de livros eróticos prontos para serem baixados. O resultado foi que ficou mais fácil moderar minha tendência em ceder à ficção açucarada. O simples ato de ter que ir até a biblioteca ou a uma livraria criou uma barreira útil entre mim e minha droga de escolha.

▸ Autocomprometimento cronológico

Outra forma de autocomprometimento é o uso de limites de tempo e metas.

Ao restringir o consumo a certas horas do dia, da semana, do mês ou do ano, estreitamos nossa janela de consumo e assim limitamos nosso uso. Por exemplo, podemos dizer para nós mesmos que consumiremos apenas nas férias, nos fins de semana, nunca antes de quinta-feira, nunca antes das cinco da tarde, e assim por diante.

Às vezes, em vez de tempo propriamente dito, comprometemo-nos com base em marcos ou realizações. Esperaremos até nosso aniversário, ou assim que completarmos uma tarefa, depois de conseguirmos nosso diploma, ou assim que formos promovidos.

Quando o tempo se esgota, ou alcançamos uma meta autodesignada, a droga é nossa recompensa.

Os neurocientistas S. H. Ahmed e George Koob demonstraram que ratos com acesso ilimitado à cocaína durante seis horas por dia gradualmente aumentam a pressão na alavanca ao longo do tempo, chegando à exaustão física e até a morte. Um aumento na autoadministração, sob condições ampliadas de acesso (seis horas), também foi observado com metanfetamina[6], nicotina[7], heroína[8] e álcool[9].

No entanto, ratos com acesso a cocaína apenas uma hora por dia usam quantidades regulares da droga por muitos dias consecutivos.[10] Ou seja, eles não pressionam a alavanca para obter mais droga por unidade de tempo, a cada dia consecutivo.

Este estudo sugere que, ao restringir o consumo de droga a uma janela estreita de tempo, podemos conseguir moderar nosso uso e evitar o consumo compulsivo e ascendente que advém com o acesso ilimitado.

Monitorar quanto tempo passamos consumindo determinada coisa – por exemplo, cronometrar o uso do smartphone – é uma maneira de ficar atento e, assim, diminuir o consumo. Quando temos conhecimento de fatos objetivos, como a quantidade de tempo que estamos usando, ficamos menos capazes de negá-los, e assim em melhor situação para agir.

No entanto, isso pode ficar muito difícil com muita rapidez. O tempo tem uma maneira curiosa de escapar de nós quando estamos buscando dopamina.

Um paciente me contou que, quando usava metanfetamina, convenceu-se de que o tempo não importava. Sentia-se como se pudesse costurá-lo de volta mais tarde, sem que ninguém percebesse que faltava um pedaço. Imaginei-o flutuando no céu noturno, grande como uma constelação, costurando uma fenda no universo.

Os produtos de alta dopamina confundem nossa capacidade de adiar gratificação, fenômeno chamado *desvalorização por atraso*. A desvalorização pelo atraso refere-se ao fato de que o valor de uma recompensa diminui à medida que temos que esperar mais tempo por ela. A maioria de nós preferirira conseguir 20 dólares agora a daqui a um ano.

Nossa tendência em supervalorizar recompensas a curto prazo, em detrimento das de longo prazo, pode ser influenciada por muitos fatores. Um deles é o consumo de drogas e comportamentos adictivos.

A economista comportamental Anne Line Bretteville-Jensen e seus colegas investigaram a desvalorização em usuários ativos de heroína e anfetamina comparados a ex-usuários e com controles correspondentes (indivíduos igualados em gênero, idade, educação, classe social etc.). Os pesquisadores pediram que os participantes imaginassem que tinham um bilhete premiado de loteria no valor de 100 mil coroas norueguesas [pouco mais de 60 mil reais].[11]

Depois, perguntaram aos participantes se prefeririam ter menos dinheiro imediatamente (menos de 100 mil coroas norueguesas) ou a quantia toda daqui a uma semana. Dos usuários ativos de droga, 20% disseram querer o dinheiro imediatamente e estariam dispostos a receber menos. Apenas 4% dos usuários antigos e 2% dos controles correspondentes aceitariam a perda.

Fumantes de cigarro são mais propensos do que controles correspondentes a descontar recompensas monetárias (ou seja, eles as valorizam menos se tiverem que esperar por elas). Quanto mais fumam, e quanto mais nicotina consomem, mais descontam recompensas futuras.[12] Essas descobertas se confirmam tanto para um dinheiro hipotético, quando para dinheiro real.

O estudioso de dependentes Warren K. Bickel e seus colegas pediram a pessoas dependentes de opioides e controles saudáveis para completar uma história que começava com a frase: "Depois de acordar, Bill começou a pensar no seu futuro. Em geral, ele esperava...".

Os dependentes de opioides participantes do estudo referiram-se a um futuro que era, em média, de nove dias. Os controles saudáveis referiram-se a um futuro que era, em média, de 4,7 anos. Essa diferença impressionante ilustra como os "horizontes temporais" se encolhem quando estamos sob a influência de uma droga adictiva.[13]

Por outro lado, quando pergunto a meus pacientes qual foi o momento decisivo para eles tentarem entrar em recuperação, eles dirão algo que expressa uma longa visão de tempo. Como um paciente que usara heroína no ano anterior: "Percebi, de repente, que estava usando heroína havia um ano e pensei comigo mesmo, se eu não parar agora, pode ser que faça isso pelo resto da vida".

Refletir sobre a trajetória de toda uma vida, e não apenas sobre o momento presente, permitiu àquele rapaz fazer um apanhado mais preciso das suas atitudes no dia a dia. O mesmo se deu com Delilah, que ficou disposta a se abster da cannabis por quatro semanas só depois de se imaginar fumando ainda por mais dez anos.

No atual ecossistema rico em dopamina, todos nós nos tornamos prontos para uma gratificação imediata. Queremos comprar alguma coisa, e no dia seguinte ela aparece à nossa porta. Queremos saber alguma coisa, e no segundo seguinte a resposta aparece na nossa tela. Estamos perdendo a habilidade de descobrir coisas, ficando frustrados enquanto buscamos a resposta ou temos que esperar pelas coisas que queremos?

O neurocientista Samuel McClure e seus colegas examinaram quais partes do cérebro estão envolvidas em recompensas imediatas em comparação a recompensas adiadas.[14] Descobriram que, quando os participantes escolhiam recompensas imediatas, partes do cérebro que processam emoção e recompensa se acendiam. Quando os participantes adiavam sua recompensa, o córtex pré-frontal – a parte do cérebro envolvida em planejamento e pensamento abstrato – tornava-se ativo.

A implicação aqui é que agora estamos todos vulneráveis a uma atrofia cortical pré-frontal, uma vez que nosso circuito de recompensa se tornou o condutor dominante da nossa vida.

A ingestão de produtos de alta dopamina não é a única variável a influenciar uma desvalorização por atraso.

Por exemplo, quem cresce em ambiente pobre de recursos, e é informado sobre indícios de mortalidade, está mais propenso a valorizar recompensas imediatas a recompensas adiadas, em comparação àqueles que são similarmente informados e crescem em ambientes ricos em recursos. Jovens brasileiros que vivem em favelas descontam recompensas futuras com mais frequência do que estudantes universitários da mesma idade.[15]

É de se estranhar que a pobreza seja um fator de risco para dependência, especialmente em um mundo de fácil acesso a dopamina barata?

Outra variável que contribui para o problema de hiperconsumo compulsivo é o aumento crescente de tempo de lazer de que dispomos hoje, e o consequente tédio.

A mecanização da agricultura, da manufatura, dos trabalhos domésticos, e muitas outras tarefas que anteriormente consumiam tempo e mão de obra intensiva reduziram o número de horas diárias que as pessoas passam trabalhando, deixando mais tempo para o lazer.

Um dia típico para um trabalhador médio nos Estados Unidos, pouco antes da Guerra Civil (1861-1865), seja na agricultura, seja na indústria, consistia em trabalhar de dez a doze horas diárias, seis dias e meio por semana, 51 semanas por ano, com não mais de duas horas diárias gastas em atividade de lazer. Alguns trabalhadores, frequentemente mulheres imigrantes, trabalhavam treze horas por dia, seis dias por semana. Outros trabalhavam em regime de escravidão.

Em contraste, hoje, a quantidade de tempo de lazer nos Estados Unidos aumentou em 5,1 horas por semana entre 1965 e 2003, um adicional de 270 horas de lazer por ano. Estima-se que, em 2040, o número de horas de lazer num dia típico nos Estados Unidos será de 7,2 horas, com apenas 3,8 horas de trabalho diário.[16] Os números para outros países de alta renda são semelhantes.[17]

O tempo de lazer nos Estados Unidos difere segundo a educação e a situação socioeconômica,[18] mas não da maneira que você poderia pensar.

Em 1965, nos Estados Unidos, tanto os com menos formação quanto os mais educados desfrutavam praticamente a mesma quantidade de tempo de lazer. Atualmente, os adultos que vivem nos Estados Unidos sem diploma de segundo grau têm 42% mais tempo de lazer do que os adultos com diploma de bacharelado ou melhor formação, sendo que as maiores diferenças em tempo de lazer ocorrem nas horas dos dias da semana. Isto, em grande parte, se deve ao subemprego entre aqueles que não possuem diploma universitário.

O consumo de dopamina não é apenas uma maneira de preencher as horas que não são gastas trabalhando. Ele também se tornou um motivo para as pessoas não participarem da força de trabalho.

O economista Mark Aguiar e seus colegas escreveram um artigo apropriadamente intitulado "Leisure, Luxuries, and the Labor Supply of Young Men" [Lazer, Luxos, e a Oferta de Trabalho dos Homens Jovens]: "Os homens mais jovens, entre 21 e 30 anos, demonstraram um declínio maior em horas de trabalho nos últimos quinze anos do que os homens e mulheres mais velhos. Desde 2004, os dados de consumo do tempo mostram que os homens mais jovens claramente mudaram seu lazer para jogar video games e outras atividades recreativas em computador".[19]

O escritor Eric. J. Iannelli referiu-se brevemente a sua própria história de dependência da seguinte maneira:

> Anos atrás, no que agora parece uma outra vida, um amigo me disse: "Toda a sua existência pode ser reduzida a um ciclo de três partes. Primeira: Se foder. Segunda: Foder. Terceira: Controlar os danos". Não nos conhecíamos havia muito tempo, provavelmente

no máximo dois meses e, no entanto, ele já tinha testemunhado o suficiente dos meus costumeiros apagões de bebedeira, só uma das mais óbvias manifestações do rodamoinho de autoperpetuação da dependência, para entender como eu era. Com um sorriso enviesado, ele passou a elaborar hipóteses mais gerais – e desconfio que apenas numa semibrincadeira – de que os dependentes são solucionadores de problemas entediados ou frustrados, que instintivamente inventam situações como Houdini, das quais precisam se desembaraçar, quando não acontece de aparecer algum outro desafio. A droga passa a ser a recompensa quando eles têm êxito, e o prêmio de consolação quando fracassam.[20]

Quando conheci Muhammad, ele era um jorro de palavras. Sua língua mal conseguia acompanhar o cérebro, que fervilhava de ideias.

– Acho possível que eu tenha um pequeno problema de dependência – ele disse. Gostei dele na mesma hora.

Num inglês impecável, com um leve sotaque do Oriente Médio, ele me contou sua história.

Em 2007, veio do Oriente Médio para os Estados Unidos, para cursar matemática e engenharia. Em seu país, o consumo de qualquer tipo de droga era passível de uma punição dura.

Quando chegou aos Estados Unidos, foi libertador poder consumir drogas por prazer, sem medo. No começo, restringiu o consumo de drogas e álcool aos fins de semana, mas no prazo de um ano fumava cannabis diariamente, e o resultado foi constatar que suas notas e suas amizades sofreram com isso.

Disse consigo mesmo: *Não vou voltar a fumar até terminar minha graduação, ser aceito no mestrado e conseguir uma bolsa para o doutorado.*

Fiel a sua promessa, ele não voltou a fumar até completar um programa de mestrado em engenharia mecânica em Stanford e conseguir financiamento para o doutorado. Quando voltou a fumar, jurou que se limitaria apenas aos fins de semana.

Depois de um ano no doutorado, fumava diariamente, mas, no final dos segundo ano, estabeleceu novas regras para si mesmo: *10 mg de maconha enquanto estiver trabalhando, 30 mg de maconha quando não estiver trabalhando e 300 mg de maconha apenas em ocasiões especiais... para ficar realmente doidão.*

Muhammad não passou no exame de qualificação, o ponto alto dos seus estudos de doutorado. Tentou uma segunda vez e tornou a fracassar. Estava prestes a ser eliminado do programa, mas conseguiu convencer seus professores a lhe darem uma última chance.

Em meados de 2015, Muhammad comprometeu-se a se abster até passar no exame de qualificação, por mais tempo que isso levasse. No ano seguinte, ele largou a cannabis e trabalhou mais do que nunca. Seu último relatório tinha mais de cem páginas.

– Foi um dos anos mais positivos e produtivos da minha vida – ele me contou.

Naquele ano, ele passou nos exames de qualificação, e, na noite após o exame, um amigo trouxe cannabis para ajudá-lo a comemorar. De início, Muhammad recusou, mas o amigo disse: "Não tem como alguém inteligente como você ser adicto".

Só desta vez, Muhammad disse consigo mesmo, *e depois não mais até a formatura.*

Na segunda-feira, o *não mais até a formatura* tornou-se *nada de maconha nos dias de aula,* que se tornou *nada de maconha nos dias em que tenho aulas puxadas,* que se tornou *nada de maconha nos dias de exame,* que se tornou *nada de maconha antes das nove da manhã.*

Muhammad *era* inteligente. Então, por que não conseguia entender que, toda vez que fumasse, não conseguiria ser fiel aos limites de tempo autoimpostos?

Porque uma vez que ele começou a usar cannabis, não estava governado pela razão; estava governado pela balança prazer-sofrimento. Até um baseado criava um estado de necessidade não facilmente influenciado pela lógica. Sob a influência da droga, ele já não podia avaliar com objetividade as recompensas imediatas de fumar face às suas contrapartidas a longo prazo. Seu mundo era regido pela desvalorização por atraso.

No caso de Muhammad, o autocomprometimento cronológico foi até certo ponto, e a moderação da cannabis foi sempre uma opção improvável. Ele teria que encontrar outra maneira, o que acabou acontecendo.

▶ Autocomprometimento categórico

Jacob veio me ver novamente uma semana depois de sua recaída. Não tinha feito uso durante toda a semana. Colocou seu aparelho numa lata de lixo que sabia que seria levada no mesmo dia. Também pôs de lado seu laptop e seu tablet. Foi à igreja pela primeira vez em anos e rezou por sua família.

– Não pensar em mim mesmo e nos meus problemas foi uma boa mudança. Também parei de sentir vergonha. Minha história é triste, mas posso fazer alguma coisa a respeito. – Ele fez uma pausa. – Mas não estou me sentindo bem. Vejo você às segundas-feiras, e às sextas penso em me matar, mas sei que não vou fazer isto.

– É o revés do uso – expliquei. – Deixe seus sentimentos cobrirem você como uma onda. Tenha paciência e com o tempo você se sentirá melhor.

Nas semanas e meses seguintes, Jacob conseguiu manter abstinência limitando não apenas o acesso à pornografia, aos chats e às unidades TENS, mas também a "qualquer forma de luxúria".

Parou de ver televisão, cinema, YouTube, competições femininas de vôlei, quase tudo que lhe oferecesse uma imagem sexualmente provocante. Pulava certos tipos de reportagem, por exemplo, matérias sobre Stormy Daniels, a stripper que supostamente teve um caso com Donald Trump. Vestia short antes de se barbear em frente ao espelho, de manhã. Ver sua própria nudez era, por si só, um gatilho.

– Brinquei com meu próprio corpo por um bom tempo. Não posso mais fazer isto – ele disse. – Preciso evitar qualquer coisa que poderia entreter minha mente dependente.

O autocomprometimento categórico limita o consumo classificando a dopamina em diferentes categorias: aqueles subtipos que nos permitimos consumir, e aqueles que não.

Este método nos ajuda a evitar não apenas nossa droga de escolha, mas também o gatilho que leva ao desejo por nossa droga. Esta estratégia é especialmente útil para substâncias que não podemos eliminar completamente, mas que estamos tentando consumir de maneira mais saudável, como comida, sexo e smartphones.

Meu paciente Mitch era dependente de apostas em esportes. Aos 40 anos, tinha perdido 1 milhão de dólares jogando. Participar dos Jogadores Anônimos foi uma parte importante em sua recuperação. Através do envolvimento com o grupo, ele aprendeu que não precisava evitar só as apostas em esportes; também tinha que se abster de assistir a esportes na TV, ler páginas de esportes no jornal, surfar sites relacionados a esportes na internet e escutar transmissões esportivas pelo rádio. Ele telefonou para todos os cassinos da região e se fez colocar na lista de "não admitidos". Ao evitar substâncias e comportamentos além da droga de sua escolha, Mitch conseguiu usar um comprometimento categórico para mitigar o risco de recair nas apostas em esportes.

Existe algo de trágico e comovente em ter que banir a si próprio.

Quanto a Jacob, esconder o corpo nu – o dele e o dos outros – foi uma parte importante em sua recuperação. Esconder o corpo como uma maneira de minimizar o risco de se envolver em relação sexual proibida tem sido há muito tempo parte de muitas tradições culturais, perdurando até hoje. O Alcorão diz da modéstia feminina: "E diga às mulheres crentes que abaixem seus olhares

e guardem suas partes privadas e não exponham seus adornos...
e que envolvam seus peitos com [uma porção de] seus lenços de
cabeça, e não exponham seus adornos".[21]

A Igreja de Jesus Cristo dos Santos dos Últimos Dias emitiu
declarações oficiais sobre vestimenta modesta para seus membros,
tais como desencorajar "shorts e saias curtas, camisetas que não
cubram a barriga, e roupas que não cubram os ombros ou sejam
decotadas na frente ou atrás".[22]

O autocomprometimento categórico falha quando incluímos,
inadvertidamente, um gatilho em nossa lista de atividades aceitáveis.
Podemos corrigir erros deste tipo passando um pente fino mental,
baseado em experiência. Mas e quando a própria categoria muda?

A já gasta tradição de fazer dieta – vegetariana, vegana, crudí-
vora, sem glúten, Atkins, cetogência, paleolítica – é um exemplo
de autocomprometimento categórico. Vamos atrás dessas dietas
por motivos variados: médico, ético, religioso. Mas seja qual for a
razão, o efeito prático é diminuir o acesso a grandes categorias de
alimentos, o que, por sua vez, limita o consumo.

Mas as dietas como forma de autocomprometimento cate-
górioa ficam ameaçadas quando a categoria muda com o tempo,
resultante de forças mercadológicas.

Mais de 15% de casas nos Estados Unidos usam produtos
sem glúten. Algumas pessoas não consomem glúten por terem
doença celíaca, uma condição autoimune em que a ingestão de
glúten prejudica o intestino delgado. Mas um número crescente
de pessoas não consome glúten porque ajuda a limitar o consumo
de carboidratos altamente calóricos e com baixo poder nutritivo.
O problema?

De 2008 a 2010, cerca de 3 mil novos petiscos sem glúten
foram introduzidos nos Estados Unidos,[23] e atualmente os produtos de panificação são a categoria absoluta de maior lucro de

produtos embalados no mercado sem glúten. Em 2020, o valor dos produtos sem glúten, só nos Estados Unidos, foi estimado em 10,3 bilhões de dólares.

Uma dieta sem glúten, que anteriormente tinha de fato limitado o consumo de alimentos processados altamente calóricos, tais como biscoitos, bolachas, cereais, macarrões e pizzas, agora não limita mais. Para quem adotava esse tipo de dieta para evitar o glúten, poderia ser uma boa notícia. Mas para aqueles que estavam se beneficiando da exclusão do glúten como uma forma de limitar o consumo de pães e bolos, já não serve mais.

A evolução da dieta sem glúten ilustra como tentativas de controlar consumo são rapidamente contra-atacadas por modernas forças mercadológicas, e é apenas mais um exemplo dos desafios inerentes em nossa economia de dopamina.

Há muitos outros exemplos modernos de drogas que já foram tabu e foram transformadas em mercadorias socialmente aceitáveis, em geral disfarçadas de medicamentos. Os cigarros transformaram-se em cigarros eletrônicos e bolsas de nicotina Zyn. A heroína passou a ser oxicodona, a maconha tornou-se medicinal. Mal tínhamos nos comprometido com a abstinência e nossa velha droga reaparece, lindamente embalada como um novo produto, a preço acessível, dizendo: "Ei, sem problemas. Agora faço bem para você".

Divinizar o demonizado é outra forma de autocomprometimento categórico.

Desde os tempos pré-históricos, os seres humanos elevaram as drogas que alteram a mente a categorias sagradas a serem usadas durante cerimônias religiosas e ritos de passagem, ou como medicamentos. Nesse contexto, apenas aos padres, xamãs ou outros iniciados que receberam formação especial, ou foram investidos de autoridade especial, é permitida a administração dessas drogas.

Por mais de 7 mil anos, os alucinógenos, também conhecidos como psicodélicos (cogumelos mágicos, ayahuasca, peiote), tiveram usos sacramentais através de diversas culturas. No entanto, quando os alucinógenos se tornaram populares e amplamente disponíveis como drogas recreativas, no movimento da contracultura na década de 1960, os danos multiplicaram-se, levando a considerarem o LSD ilegal na maioria dos países.

Atualmente, existe um movimento para que os alucinógenos e outros psicodélicos voltem a ser usados, mas apenas no contexto pseudossagrado da psicoterapia com apoio psicodélico. Agora, psiquiatras e psicólogos especialmente treinados estão administrando alucinógenos e outros agentes psicotrópicos potentes (psilocibina, cetamina, ecstasy) como remédios para saúde mental. Administrar doses limitadas (de uma a três) de psicodélicos, intercaladas com sessões múltiplas de terapia conversacional por muitas semanas, tem se tornado o equivalente moderno do xamanismo.

A esperança é que, limitando o acesso a essas drogas, e transformando os psiquiatras em guardiões, as propriedades místicas desses produtos químicos – uma sensação de unicidade, transcendência de tempo, clima positivo e reverência – possam ser alavancadas sem levar ao uso indevido, ao abuso e à dependência.

Algumas pessoas não precisam de xamás, nem de psiquiatras para impregnar a droga de escolha com o sagrado. Num agora famoso experimento do marshmallow de Stanford, pelo menos uma criança no experimento manejou o sagrado totalmente sozinha.

O experimento do marshmallow foi uma série de estudos conduzidos no final de década de 1960, na Universidade Stanford, pelo psicólogo Walter Mischel, para analisar a recompensa adiada.[24]

Nesses estudos, eram oferecidas a crianças entre 3 e 6 anos uma escolha entre uma pequena recompensa entregue imediatamente (um marshmallow), ou duas pequenas recompensas (dois marshmallows) se a criança pudesse esperar por quinze minutos, sem comer o primeiro marshmallow.

Durante esse tempo, o pesquisador deixava a sala, e depois voltava. O marshmallow era colocado em um prato sobre a mesa, numa sala sem nenhuma outra distração: nenhum brinquedo, nenhuma outra criança. O propósito do estudo era determinar em que momento a gratificação adiada se desenvolve nas crianças. Estudos subsequentes analisaram que tipos de consequências na vida real são associados à capacidade, ou falta dela, de adiar gratificação.

Os pesquisadores descobriram que, de cerca de cem crianças, um terço esperou o suficiente para conseguir o segundo marshmallow. A idade foi um determinante importante: quanto mais velha a criança, mais capacitada a adiar. Em estudos complementares, crianças que conseguiram esperar pelo segundo marshmallow tenderam a ter melhores notas nos testes de aptidão escolar, melhor capacidade educacional e em geral foram adolescentes mais bem ajustados social e cognitivamente.

Um detalhe menos conhecido do experimento é o que as crianças faziam durante os quinze minutos de esforço para não comer o primeiro marshmallow.

As observações dos pesquisadores revelaram uma concretização literal de autocomprometimento: as crianças "cobrem os olhos com as mãos, ou viram de costas para não ver o prato... começam a chutar a mesa, puxam suas marias-chiquinhas, ou afagam o marshmallow como se ele fosse um animalzinho de pelúcia".[25]

Cobrir os olhos e virar de costas lembra autocomprometimento físico. Puxar as marias-chiquinhas sugere o uso da dor física como distração, algo sobre o qual me estenderei adiante. Mas... afagar o marshmallow? Essa criança, em vez de virar as costas para o objeto desejado, fez dele uma mascote, precioso demais para comer ou, no mínimo, para comer impulsivamente.

Minha paciente Jasmine veio me pedir ajuda para o consumo excessivo de álcool; ela ingeria até dez cervejas todos os dias. Como parte do tratamento, aconselhei-a a remover todo álcool de casa,

112 | NAÇÃO DOPAMINA

uma estratégia de autocomprometimento. Em grande parte, ela seguiu meu conselho, com uma deturpação. Retirou todo álcool, menos uma cerveja, que deixou na geladeira. Chamou-a de sua "cerveja totêmica", à qual olhava como o símbolo de sua escolha de não beber, uma representação da sua vontade e autonomia. Disse consigo mesma que só precisava se concentrar em não beber aquela cerveja específica, mais do que na tarefa mais assustadora de não beber nenhuma cerveja da vasta quantidade disponível no mundo.

Esse passe de mágica metacognitivo, transformando um objeto de tentação num símbolo de controle, ajudou Jasmine a se abster.

Seis meses depois de sua segunda tentativa de recuperação, encontrei Jacob na sala de espera. Fazia muito tempo que não o via.

Assim que pus os olhos nele, soube que estava se saindo bem, pela maneira como suas roupas assentavam, a maneira como envolviam seu corpo. Mas não foram apenas as roupas. Sua pele também assentava nele, da maneira que acontece quando uma pessoa se sente conectada consigo mesma e com o mundo.

Não que você vá achar isso em algum manual psiquiátrico. É só uma coisa que notei depois de anos atendendo pacientes. Quando as pessoas melhoram, tudo tem uma coesão e um acerto. Naquele dia, Jacob tinha uma exatidão nele.

– Minha mulher voltou para mim – ele disse, assim que entramos na minha sala. – Ainda estamos vivendo separados, mas fui a Seattle e passamos dois dias maravilhosos. Vamos passar o Natal juntos.

– Fico feliz, Jacob.

– Estou livre da minha obsessão. Não estou compelido a me comportar de certa maneira. Estou livre para voltar a tomar decisões sobre o que vou fazer. Já faz quase seis meses que tive a minha recaída. Se apenas continuar fazendo o que estou fazendo, acho que vou ficar bem. Mais do que bem.

Ele olhou para mim e sorriu. Sorri de volta.

A jornada extraordinária que Jacob percorreu para evitar qualquer coisa possível de incitar o desejo sexual parece francamente medieval para nossa sensibilidade moderna, a um passo de uma camisa de força.

No entanto, longe de se sentir limitado por seu novo modo de vida, ele se sentiu liberado. Livre das garras do hiperconsumo compulsivo, viu-se novamente apto a interagir com outras pessoas e com o mundo, com alegria, curiosidade e espontaneidade. Sentiu certa dignidade.

Como Immanuel Kant escreveu em *A metafísica dos costumes*: "Quando percebemos que somos capazes desta legislação interior, o homem (natural) se sente compelido a reverenciar o homem moral em sua própria pessoa".[26]

O autocomprometimento é uma maneira de ser livre. ∎

CAPÍTULO 6 —————————————————

Uma balança quebrada?

– ESPERO QUE VOCÊ CONTINUE COM A MINHA BUPRENORFINA – Chris disse, sentado na minha sala, acertando sua mochila, empurrando para trás o cabelo que tinha caído sobre os olhos, balançando o joelho (nos anos que se seguiram, eu perceberia que ele estava sempre em movimento). – Ela tem ajudado. Na verdade, isto é um eufemismo. Não tenho certeza de que estaria vivo sem ela, e preciso achar alguém que possa me fazer uma receita.

A buprenorfina é um opioide semissintético derivado da tebaína, destilado da papoula-dormideira. Assim como outros opioides, ela se liga ao receptor mu-opioide, proporcionando alívio imediato da dor e do desejo por opioide. Em termos bem simples, ela funciona devolvendo a balança prazer-sofrimento a uma posição nivelada, de modo que alguém como Chris possa parar de combater o desejo e retomar sua vida. Existe uma comprovação sólida de que a buprenorfina diminui o uso ilícito de opioide,[1] reduz o risco de overdose e melhora a qualidade de vida.

Mas não existe comentário sobre o fato de que a buprenorfina é um opioide que pode ser mal usado, desviado e vendido na rua. Para quem não é dependente de opioides mais fortes, ela pode criar um surto eufórico. Pessoas que tomam buprenorfina sentem a abstinência de opioide e desejo quando param ou diminuem a dosagem. Na verdade, alguns pacientes me contam que a retirada da buprenorfina é muito pior do que as que eles vivenciaram com heroína ou oxicodona.

– Por que você não me conta a sua história – propus a Chris – e então eu te digo o que acho.

Chris chegou em Stanford em 2003. Foi seu padrasto quem o trouxe, desde o Arkansas, em um velho Chevy Suburban emprestado. O SUV, lotado de pertences de Chris, destacava-se entre os BMWs e os Lexus reluzentes e novos que lotavam a entrada do alojamento de estudantes.

Chris não perdeu tempo. Organizou seu quarto com uma precisão meticulosa, começando com sua coleção de CDs, que arrumou em ordem alfabética. Analisou o catálogo do curso e optou por Escrita Criativa, Filosofia Grega e Mito e Modernidade na Cultura Germânica. Sonhava em se tornar compositor, diretor de cinema, escritor. Seus planos, como os de seus colegas, eram grandiosos. Aquele seria seu nobre começo em Stanford.

Uma vez que as aulas começaram, Chris saiu-se bem em tudo que era esperado. Estudava muito. Tinha notas excelentes. Mas em outro nível, ele não prosperava: frequentava as aulas sozinho, estudava em seu quarto ou na biblioteca sozinho, tocava piano na sala comum do seu dormitório sozinho. Aquela palavra favorita murmurada no campus, *comunidade*, esquivava-se dele.

A maioria de nós, revendo nossos primeiros dias na faculdade, vai se lembrar do esforço para encontrar a nossa gente. Chris penou mais. Até hoje é difícil dizer por quê. É um rapaz bonito, atencioso, afável, louco para agradar. Talvez tivesse algo a ver com ser aquele pobre moleque do Arkansas.

Sua existência solitária continuou no segundo ano, até encontrar uma garota no seu trabalho de meio período no campus. Suas feições esculpidas, o cabelo castanho e macio, e a constituição musculosa e rija sempre atraíram atenção. Ele e a menina, uma colega no curso de graduação, se beijaram, e Chris apaixonou-se na hora. Quando ela contou que tinha um namorado, ele decidiu que aquilo não importava. Queria estar com ela e a procurava insistentemente, sem desistir. Ela o acusou de assédio e o denunciou ao chefe dos dois. Como consequência, ele perdeu o emprego e foi repreendido pela administração da faculdade. Sem trabalho e sem namorada, decidiu que só havia uma solução: se matar.

Chris escreveu um email de despedida para a mãe: "Mãe, usei roupa de baixo limpa". Pediu uma faca emprestada, pegou seu toca-CD e um CD escolhido com cuidado, e foi para o parque Roble Field. Anoitecia, e seu plano era engolir um vidro de comprimidos, cortar os pulsos e sincronizar sua morte com o pôr do sol.

A música era importante para Chris, e ele escolheu com cuidado a de despedida: "PDA", do Interpol, uma banda indie post-punk revival. É uma música rítmica e pulsante. A letra é difícil de entender. A última estrofe diz: "*Sleep tonight, sleep tonight, sleep tonight, sleep tonight. Something to say, something to do, nothing to say, there's nothing to do*"[*]. Chris esperou até o finalzinho da música, e então puxou a lâmina afiada da faca sobre cada pulso.

Tentar se matar cortando os pulsos num espaço aberto acabou não sendo uma estratégia muito eficiente. Meia hora depois, o sangue dos seus pulsos tinha congelado, e ele estava sentado no escuro, vendo as pessoas passarem. Voltou para seu quarto, obrigou-se a vomitar os comprimidos e chamou a emergência. Os paramédicos vieram e levaram-no ao Stanford Hospital, onde ele foi internado na ala psiquiátrica.

O primeiro a visitá-lo foi seu padrasto. Sua mãe também planejava ir, mas não conseguiu entrar no avião. Tinha um medo

---

[*] Em tradução literal: "Dormir esta noite, dormir esta noite, dormir esta noite, dormir esta noite. Algo a dizer, algo a fazer, nada a dizer, não há nada a fazer". (N. T.)

antigo de voar. Seu pai biológico, a quem só via algumas vezes por ano, também apareceu. O pai pareceu chocado ao ver as incisões salientes e vermelhas nos pulsos de Christopher.

Chris ficou na ala psiquiátrica por duas semanas; durante esse tempo, sentiu-se, acima de tudo, aliviado por estar num ambiente confinado, controlado e previsível.

Um representante de Stanford foi visitá-lo no hospital e informou-o que, considerando as circunstâncias, ele seria forçado a tirar uma licença médica das aulas até se recuperar suficientemente para poder voltar, segundo determinação e critério da universidade.

Chris voltou para o Arkanksas para viver com a mãe e o padrasto. Arrumou um trabalho de garçom. Descobriu as drogas.

Em 2007, voltou a Stanford. Antes de poder se inscrever para o trimestre do outono, precisava se encontrar com o chefe de saúde mental estudantil e seu decano residencial para pô-los a par do seu progresso e apresentar um argumento convincente para se reinscrever.

Um dia antes da reunião, ele ficou com uma menina que tinha conhecido em Stanford. Não a conhecia bem, mas ela também era "problemática", então Chris sentiu-se mais confortável em perguntar se poderia dormir no quarto dela por uma ou duas noites, enquanto se resolvia com a universidade.

Na noite anterior à entrevista, ficou acordado, cheirando cocaína e lendo *O mal-estar da civilização*, de Freud. Pela manhã, concluiu que estava muito zoado para se encontrar com um bando de administradores universitários. Voou para casa no mesmo dia.

Chris passou o ano seguinte cavando terra, espalhando adubo e cortando grama, num calor de quase 40 graus, para a Universidade de Arkansas. Gostava da fisicalidade daquilo, de como mover o corpo o distraía dos seus pensamentos. Foi promovido a arborista, que em grande parte consistia em enfiar troncos e galhos de árvores num triturador.

118 | NAÇÃO DOPAMINA

Quando não estava trabalhando, compunha música, partitura por partitura, enquanto fumava maconha, que passara a lhe ser indispensável.

Em agosto do ano seguinte, Chris voltou mais uma vez a Stanford. Dessa vez, não foi exigida nenhuma reunião presencial. Apresentou-se em seu dormitório no estilo Jack Reacher*, com nada além de uma escova de dente no bolso e um laptop na mão. Dormia sobre o colchão, de roupa, sem lençóis.

Ele tinha vontade de se estruturar, algo que reconhecia ser necessário para ser bem-sucedido. Como parte do seu novo estado de espírito, mudou sua especialidade. Agora, estudaria química.

Também jurou deixar de fumar maconha, mas sua decisão durou apenas três dias, antes de voltar a fumar diariamente, escondendo-a em seu quarto, tentando restringi-la a quando seu companheiro de quarto, de quem se lembrava apenas como "um cara da Índia", não estivesse por perto.

No período de provas, Chris concluiu que, já que tinha passado a maior parte do tempo estudando chapado, também deveria ficar chapado para as provas. Como na "aprendizagem estado-dependente", sobre a qual tinha lido em sua aula de psicologia. Chegou à segunda questão até perceber que não sabia a matéria e era incapaz de completar a prova. Levantou-se e saiu, jogando sua prova no lixo.

No dia seguinte, estava num avião para casa.

Deixar Stanford pela terceira vez foi diferente para Chris. Tinha um tom de desânimo. Ao chegar em casa, não tinha qualquer ambição, nem mesmo de continuar compondo música. Começou a beber muito, além de fumar maconha. Depois, experimentou opioides pela primeira vez, o que era fácil em Arkansas em 2009, quando os fabricantes e distribuidores de opioides despejavam no estado milhões de comprimidos analgésicos opioides. Naquele

---

* Personagem de Tom Cruise num filme policial de 2012, baseado numa obra de Lee Child. Jack Reacher era um investigador militar. (N. T.)

mesmo ano, médicos em Arkansas forneceram 116 receitas de opioides para cada 100 pessoas que moravam no estado.[2]

Enquanto tomava opioides, tudo que Chris achava que andara buscando, subitamente lhe pareceu ao alcance. Sim, sentia-se eufórico, mas isto não era o principal. O principal era que se sentia conectado.

Começou a ligar para parentes e conhecidos, falando, compartilhando, confidenciando. As conexões pareciam verdadeiras, desde que estivesse dopado, mas desapareciam assim que os opioides deixavam de fazer efeito. Aprendeu que a intimidade fabricada pela droga não durava muito.

Um padrão intermitente de uso de opioide acompanhou Chris em sua próxima tentativa de se matricular em Stanford. Quando voltou, em agosto de 2009, em sua agora quarta tentativa, estava cronológica e geograficamente marginalizado de seus colegas de graduação. Era cinco anos mais velho do que a média dos alunos do segundo ano.

Foi colocado em um alojamento de estudantes de graduação, onde dividia um apartamento de dois quartos com um estudante de física de partículas. Eles tinham pouco em comum e se esforçavam para um não atrapalhar outro.

Chris desenvolveu uma rotina que girava em torno de estudar e se drogar. Desistira da ideia de tentar largar. Passou a pensar em si mesmo como um "dependente de drogas" assumido.

Fumava maconha sozinho em seu quarto, todos os dias. Toda sexta-feira à noite, ia a São Francisco, sozinho, buscar heroína. Uma única dose, na rua, custava 15 dólares, para um pico de adrenalina que durava de cinco a quinze segundos e um bem-estar que persistia por horas. Fumava mais maconha para facilitar o revés. Na metade do quarto trimestre, ele vendeu seu laptop para comprar mais heroína. Depois vendeu seu casaco. Lembrava-se de sentir frio enquanto vagava pelas ruas da cidade.

Uma vez, tentou ficar amigo de dois estudantes britânicos, na aula de idiomas. Contou a eles que queria fazer um filme, e queria que eles participassem. Tinha começado a se interessar por fotografia, e às vezes perambulava pelo campus tirando fotos. No começo, os dois pareceram interessados, mas, quando contou a ideia – filmá-los falando com sotaque americano enquanto comiam –, eles relutaram e passaram a evitá-lo.

– Acho que sempre fui esquisito desse jeito. Ideias esquisitas. É por isso que jamais quero contar às pessoas o que estou pensando.

Em meio a tudo isso, Chris ia para a aula e só tirava A, com exceção de um B na Base Interpessoal de Comportamento Anormal. Foi para casa no Natal e não voltou.

Em agosto de 2010, Chris fez uma última tentativa de se matricular em Stanford. Alugou um quarto fora do campus, em Menlo Park, e anunciou ainda um novo curso: biologia humana. Depois de alguns dias, roubou comprimidos da sua senhoria e conseguiu uma receita para zolpidem, que esmagava e injetava. Fez isto durante cinco meses, depois deixou Stanford, desta vez com esperança de nunca mais voltar.

De volta a Arkansas, na casa dos pais, Chris passava os dias se drogando. Injetava pela manhã e, quando o efeito acabava horas depois, deitava-se na cama, querendo que o tempo passasse. O ciclo parecia infindável e inescapável.

Em março de 2011, Chris foi pego pela polícia roubando sorvete, enquanto estava drogado. Ofereceram-lhe cadeia ou reabilitação. Escolheu reabilitação. Em 1º de abril de 2011, na reabilitação, Chris começou a tomar buprenorfina. Chris atribui ao medicamento a salvação da sua vida.

Após dois anos de estabilidade com a buprenorfina, Chris decidiu fazer uma última tentativa de volta a Stanford. Em 2013, alugou uma cama em um trailer, de um idoso chinês. Não podia pagar por nada além disso. No primeiro mês no campus, procurou-me pedindo ajuda.

É claro que concordei em receitar buprenorfina para Chris.

Três anos depois, ele se formou com louvor e seguiu para o doutorado. Aconteceu que todas suas ideias "esquisitas" se encaixavam bem no laboratório.

Em 2017, ele se casou com a namorada. Ela conhecia seu passado e entendia por que ele tomava buprenorfina. Às vezes lamentava a "falta de emoção robótica", em especial sua aparente falta de raiva, quando ela sentia que a raiva era justificada.

Mas, basicamente, a vida era boa. Chris já não estava sufocado pelo desejo, pela raiva e outras emoções intoleráveis. Passava os dias no laboratório e corria para casa depois do trabalho, para ver a esposa. Logo esperavam o primeiro filho.

Um dia, em 2019, eu disse a Chris, durante uma de nossas sessões mensais:

— Você está indo tão bem, e já faz um bom tempo; já pensou em tentar largar a buprenorfina?

Sua resposta foi definitiva:

— Nunca quero largar a buprenorfina. Foi quase como um interruptor para mim. Ela não apenas me impediu de usar heroína, ela deu ao meu corpo algo de que eu precisava e não conseguia achar em nenhum outro lugar.

▶ Medicamentos para restaurar um equilíbrio?

Pensei com frequência no que Chris me disse naquele dia, sobre a buprenorfina lhe dar algo que ele não conseguia achar em nenhum outro lugar.

Será que o uso prolongado de drogas tinha quebrado seu equilíbrio prazer-sofrimento a tal ponto que ele precisaria de opioides pelo resto da vida, só para se sentir normal? Talvez o cérebro de algumas pessoas perca a plasticidade necessária para restaurar a homeostase, mesmo depois de uma abstinência prolongada. Talvez mesmo depois do desmonte dos *gremlins*, a balança dessas pessoas mantenha-se permanentemente inclinada para o lado do sofrimento.

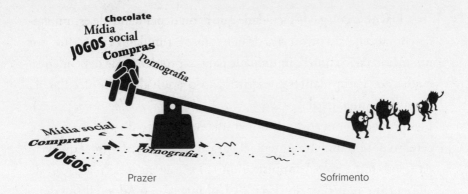

Ou será que Chris estava dizendo que os opioides corrigiram um desequilíbrio químico que ele tinha de nascença?

Quando cursei a faculdade de medicina e fiz residência, na década de 1990, aprendi que pessoas com depressão, ansiedade, déficit de atenção, distorções cognitivas, problemas de sono e daí por diante têm cérebros que não funcionam da maneira que deveriam, exatamente como pessoas com diabetes têm um pâncreas que não produz insulina suficiente. Meu trabalho, segundo a teoria, é repor a substância química que falta, para que as pessoas possam funcionar "normalmente". Essa mensagem foi amplamente disseminada, e agressivamente promovida pela indústria farmacêutica, encontrando um público receptivo tanto em médicos quanto em pacientes.

Ou talvez Chris quisesse dizer algo ainda diferente. Talvez estivesse dizendo que a buprenorfina compensou um déficit não no seu cérebro, mas no mundo. Talvez o mundo deixasse Chris deprimido, e a buprenorfina foi a melhor maneira que ele encontrou para se adaptar.

Quer o problema estivesse no cérebro de Chris ou no mundo, quer fosse causado pelo uso prolongado de droga ou por um problema de nascença, aqui estão algumas coisas que me preocupam no uso de medicamentos para pressionar o lado do prazer da balança.

Em primeiro lugar, qualquer droga que pressione o lado do prazer tem potencial para criar dependência.

David, o colega de faculdade que ficou dependente de estimulantes com receita, é a prova viva de que tomar estimulantes prescritos por um médico não confere imunidade para os problemas de dependência e adicção. Estimulantes prescritos são o equivalente molecular da metanfetamina ilegal (*ice, speed, crank, christina, no doz, scooby snax*). Eles provocam um surto de dopamina no circuito de recompensa do cérebro e "têm um alto potencial para abuso", citação direta do aviso da Food and Drug Administration (FDA, agência de regulação de alimentos e remédios dos Estados Unidos) para o Adderall [medicamento à base de anfetamina proibido no Brasil].

Em segundo lugar: e se essas drogas de fato não agirem da maneira que deveriam ou, pior ainda, piorarem os sintomas psiquiátricos a longo prazo? Embora a buprenorfina estivesse funcionando para Chris, a comprovação para medicamentos psicotrópicos, de forma geral, não é sólida,[3] em especial quando tomados por longo tempo.

Apesar do substancioso aumento de financiamento em quatro países de altos recursos (Austrália, Canadá, Inglaterra e Estados Unidos), para medicamentos psiquiátricos, como antidepressivos (fluoxetina), ansiolíticos (alprazolam) e hipnóticos (zolpidem),[4] a prevalência de sintomas de transtorno de humor e ansiedade nesses países não diminuiu (1990 a 2015). Esses resultados persistem mesmo no controle para aumento de fatores de risco para doenças mentais, tais como pobreza e trauma, e mesmo quando se analisam doenças mentais severas, tais como esquizofrenia.

Pacientes com ansiedade e insônia, que tomam diariamente benzodiazepínicos (alprazolam e clonazepam) e outros hipnóticos sedativos, por mais de um mês, podem sentir uma piora na ansiedade e na insônia.

Pacientes com dor, que tomam opioides diariamente por mais de um mês, têm mais risco não apenas de dependência por opioide, como também para a piora da dor. Como já foi mencionado, este é um processo chamado hiperalgesia induzida pelo ópio,[5] ou seja, opioides piorando a dor com a repetição de doses.

Medicamentos como Adderall (anfetamina) e Ritalina (metilfenidato), prescritos para transtorno do déficit de atenção, promovem memória e atenção de curto prazo, mas existe pouca ou nenhuma evidência para um aumento na cognição complexa de longo prazo, melhora no conhecimento, ou notas melhores.

Conforme a psicóloga de saúde pública Gretchen LeFever Watson e seus coautores escreveram no artigo intitulado "The ADHD Drug Abuse Crisis on American College Campuses" [A crise do abuso de medicamentos para TDAH nos campi universitários estadunidenses], "nova comprovação convincente indica que o tratamento de TDAH com medicamentos está associado à deterioração do funcionamento acadêmico e socioemocional".[6]

Dados recentes mostram que até os antidepressivos, previamente considerados como não sendo "formadores de hábito", podem levar à tolerância e dependência, e possivelmente até piorar a depressão a longo prazo, fenômeno chamado *disforia tardia*.[7]

Além do problema da dependência, e da questão sobre se essas drogas ajudam ou não, tenho me atormentado com uma questão mais profunda: E se o fato de tomar medicamentos psicotrópicos estiver nos levando a perder algum aspecto essencial da nossa humanidade?

Em 1993, o psiquiatra Dr. Peter Kramer publicou seu livro revolucionário *Ouvindo o Prozac*, no qual argumenta que os antidepressivos deixam as pessoas "melhores do que bem".[8] Mas e se Kramer entendeu mal? E se em vez de nos deixar mais do que bem, as drogas psicotrópicas nos tornem *diferentes* de bem?

Ao longo dos anos, tive muitos pacientes que me contaram que seus medicamentos psiquiátricos, embora oferecessem alívio a curto prazo para suas emoções dolorosas, também limitavam sua capacidade de experienciar uma série de emoções, especialmente as mais fortes, como luto e maravilhamento.

Uma paciente, que parecia estar se dando bem com antidepressivos, disse que já não chorava nos comerciais das Olimpíadas. Contou isso rindo, privando-se com alegria do lado sentimental da sua personalidade, pelo alívio da depressão e ansiedade. Mas quando não conseguiu chorar nem no enterro da própria mãe, sua balança tinha se inclinado. Largou os antidepressivos e pouco tempo depois vivenciou uma amplitude emocional maior, inclusive mais depressão e ansiedade. Decidiu que os baixos valiam a pena para se sentir humana.

Outra paciente minha, que diminuiu gradativamente a alta dosagem de oxicodona que tinha tomado por mais de uma década para dor crônica, veio me ver meses depois, com o marido. Era a primeira vez que eu o via. Ele tinha se cansado de tantos médicos ao longo de tantos anos.

– Por causa da oxi, minha esposa parou de ouvir música. Agora, sem aquela coisa, ela voltou a gostar de música. Para mim, é como se eu tivesse de volta a pessoa com quem me casei – disse ele.

Tive minhas próprias experiências com medicamentos psicotrópicos.

Inquieta e irritadiça desde a infância, fui, para a minha mãe, uma criança difícil de lidar. Ela lutou para me ajudar a controlar meu humor, e no processo sentia-se mal em sua atuação como mãe, ou pelo menos é assim que interpreto o passado. Ela admite que preferia o meu irmão, dócil e obediente. Eu também o preferia, e ele de fato me criou quando minha mãe jogou a toalha, frustrada.

Nos meus 20 anos, comecei a tomar fluoxetina para uma irritabilidade e ansiedade de baixo teor, diagnosticada como "depressão atípica". Na mesma hora, me senti melhor. Acima de tudo, parei de fazer as grandes perguntas: *Qual é nosso propósito? Eu tenho livre-arbítrio? Por que sofremos? Existe um Deus?* Em vez disso, meio que fui seguindo em frente.

Além disso, pela primeira vez na vida, minha mãe e eu nos demos bem. Ela achou agradável ficar comigo, e eu gostei de ser mais agradável. Adaptei-me melhor a ela.

Quando larguei a fluoxetina alguns anos depois, antecipando a tentativa de ficar grávida, voltei ao meu antigo jeito: mal-humorada, questionadora, inquieta. Quase imediatamente, minha mãe e eu estávamos de novo em conflito. O próprio ar da sala parecia pesar quando nós duas estávamos juntas.

Décadas depois, nosso relacionamento está um pouco melhor. Reagimos melhor quando interagimos menos. Isto me deixa triste porque amo a minha mãe, e sei que ela me ama.

Mas não me arrependo de ter largado a fluoxetina. Minha personalidade sem ela, embora não se adeque bem à minha mãe, permitiu-me fazer coisas que, caso contrário, jamais teria feito.

Hoje, fiz as pazes com o fato de ser um tanto ansiosa, ligeiramente cético-deprimida. Sou uma pessoa que precisa de atrito, desafio, algo pelo que trabalhar ou contra o que lutar. Não vou me diminuir para me adequar ao mundo. Algum de nós deveria?

Ao nos medicarmos para nos adaptar ao mundo, a que tipo de mundo estamos nos ajustando? Sob o disfarce de tratar dor e doença mental, estaremos tornando grandes segmentos da população bioquimicamente indiferentes a circunstâncias intoleráveis? Pior ainda, os medicamentos psicotrópicos tornaram-se um meio de controle social, em especial dos pobres, desempregados e marginalizados?

As drogas psiquiátricas são receitadas com mais frequência, e em maiores quantidades, para pessoas pobres, especialmente crianças pobres.

Segundo os dados de 2011 da Pesquisa Nacional de Entrevista de Saúde, do Centro Nacional para Estatística de Saúde, no Centro para Controle e Prevenção de Doenças, 7,5% das crianças estadunidenses entre 6 e 17 anos tomavam um medicamento prescrito para "dificuldades emocionais e comportamentais".[9] Havia maior probabilidade de crianças pobres tomarem medicamentos psiquiátricos do que as que não viviam na pobreza (9,2% contra 6,6%). Os meninos tinham mais probabilidade de serem medicados do que as meninas. Brancos não latinos tinham mais probabilidade de serem medicados do que as pessoas pretas ou pardas.

Baseado na extrapolação dos dados do Medicaid do estado da Geórgia para o restante dos Estados Unidos, cerca de 10 mil crianças de colo podem estar tomando medicamentos psicoestimulantes como metilfenidato.[10]

O psiquiatra Ed Levin escreveu a respeito do problema do sobrediagnóstico e do excesso de medicação da juventude estadunidense, em especial entre os mais pobres: "Embora a tendência à raiva deva, assim como todo comportamento, envolver alguma biologia, ela pode, mais significativamente, refletir uma reação do paciente a tratamento adverso e desumano".[11]

Este fenômeno não se limita aos Estados Unidos.

Na Suécia, um estudo nacional analisou proporções de prescrição para diferentes drogas psiquiátricas, baseado em índices do que chamaram de "privação da área" (índice de educação, renda, desemprego e assistência social). Para cada classe de medicamento psiquiátrico, foi descoberto que a prescrição aumentava conforme a situação socioeconômica da região caía. A conclusão a que chegaram: "Essas descobertas sugerem que a carência da região está associada à prescrição de medicamentos psiquiátricos".[12]

Os opioides também são receitados de forma desproporcional para os mais pobres.

Segundo o Departamento de Saúde e Serviços Humanos dos Estados Unidos, "a pobreza, as taxas de desemprego e a proporção emprego-população estão altamente correlacionadas com a prevalência da prescrição de opioides e com o grau do uso de substâncias. Na média, distritos com piores perspectivas econômicas são mais propensos a terem taxas mais altas de prescrição de opioides, hospitalização relacionada a opioides e mortes por overdose de drogas".[13]

As pessoas que dependem do Medicaid, seguro-saúde para os mais pobres e mais vulneráveis financiado pelo governo federal dos Estados Unidos, recebem duas vezes mais prescrições de analgésicos opioides do que pacientes fora do seguro. Os beneficiários do Medicaid morrem de opioides de três a seis vezes mais do que os outros pacientes.[14]

Mesmo o tratamento de manutenção com a buprenorfina (BMT) que eu estava receitando a Chris para tratar uma dependência de opioide pode constituir um tipo de "abandono clínico" se os determinantes psicossociais de saúde não forem igualmente

128 | NAÇÃO DOPAMINA

abordados. Segundo Alexandrea Hatcher e seus colegas, no periódico *Substance Use and Misuse*, "sem atenção para as necessidades básicas dos pacientes sem privilégio de raça e classe, a BMT como único medicamento, em vez de ser libertadora, pode se transformar em uma forma de negligência institucional e mesmo de violência estrutural, na medida em que for considerada adequada para a recuperação desses pacientes".[15]

O filme de ficção científica *Serenity – A luta pelo amanhã*, dirigido por Joss Whedon, imagina um mundo futuro em que líderes nacionais conduzem um grande experimento: eles inoculam toda a população de um planeta contra ambição, tristeza, ansiedade, raiva e desespero, na esperança de conseguir uma civilização de paz e harmonia.

Um piloto renegado chamado Mal – o herói do filme e capitão da nave espacial *Serenity* – viaja com sua tripulação até o planeta para explorá-lo. Em vez de se ver no paraíso, ele encontra cadáveres sem uma explicação para as mortes. Todo o planeta está morto, em repouso, as pessoas deitadas na cama, relaxando no sofá, tombadas sobre a escrivaninha. Mal e sua tripulação acabam resolvendo o enigma: a mutação genética privou-os de qualquer tipo de fome.

Como os ratos na vida real, privados de dopamina, que morrem de fome em vez de andar alguns centímetros para obter comida, esses humanos morreram por falta de desejo.

Por favor, não me entenda mal. Esses medicamentos podem ser ferramentas que salvam vidas, e sou grata por contar com eles na prática médica. Mas existe um custo ao medicar todo tipo de sofrimento humano e, como veremos, existe um caminho alternativo que pode funcionar ainda melhor: aceitar o sofrimento. ∎

PARTE III
A BUSCA DO SOFRIMENTO

CAPÍTULO 7 ───────────────────────────

Pressionando o lado
do sofrimento

MICHAEL SENTOU-SE À MINHA FRENTE, parecendo relaxado, de jeans e camiseta. Um homem com beleza de garotão e uma simpatia espontânea, seu encanto natural lhe era tanto uma dádiva quanto um fardo.

– Eu chamo muita atenção – ele disse. – Qualquer amigo meu pode confirmar.

A vida de Michael tinha sido, em certa época, um conto de fadas do Vale do Silício. Depois de se formar na faculdade, ele ganhou milhões no mercado imobiliário. Aos 35 anos, era fabulosamente rico, bonito de dar inveja, e estava feliz, casado com a mulher que amava.

Mas ele tinha outra vida que logo iria desfazer tudo pelo que havia se esforçado.

– Sempre fui um cara com energia, procurando qualquer coisa que me estimulasse. A cocaína era a mais óbvia, mas o álcool também tinha esse efeito... Desde a primeira vez que experimentei, me deixou eufórico e com montanhas de energia. Pensei comigo mesmo que seria o cara que poderia usar cocaína de vez em quando e não me meter em confusão. Na época, acreditava mesmo nisto. – Ele fez uma pausa e sorriu. – Eu já devia imaginar. Quando minha esposa me disse que a única maneira de salvar nosso casamento seria enfrentar a minha dependência, nem hesitei. Queria ficar com ela. Queria o casamento. A única possibilidade era a reabilitação.

Para Michael, o difícil não foi largar a cocaína; foi imaginar o que fazer a seguir. Depois de largar, ele foi tomado por todas as emoções negativas que andara mascarando com drogas. Quando não estava se sentindo triste, zangado e envergonhado, não sentia nada de nada, o que, possivelmente, era pior. Então, ele se deparou com algo que lhe deu esperança.

– Na primeira vez que aconteceu, foi por acaso – ele me contou. – Eu vinha fazendo aulas de tênis de manhã bem cedinho, uma maneira de me distrair nos primeiros dias de abstinência. Mas uma hora depois da prática e da chuveirada, eu ainda ficava suando. Comentei com meu professor de tênis, e ele sugeriu tentar uma chuveirada fria. Foi um pouco dolorosa, mas apenas por alguns segundos, até meu corpo se acostumar. Quando saí, me senti surpreendentemente bem, como se tivesse tomado uma boa xícara de café.

"Nas duas semanas seguintes, comecei a notar que meu humor melhorava depois de uma ducha fria. Pesquisei sobre terapia de água fria na internet e encontrei uma comunidade de pessoas que tomam banho gelado. Pareceu meio louco, mas eu estava desesperado. Seguindo as orientações delas, passei de chuveiradas frias a encher a banheira com água fria e me enfiar dentro. Isso funcionou ainda melhor, então acrescentei gelo à água da banheira, para abaixar ainda mais a temperatura, por volta de 12 °C.

"Entrei numa rotina de me enfiar na água gelada por cinco a dez minutos toda manhã e novamente logo antes de ir para a cama. Fiz isto diariamente pelos três anos seguintes. Foi fundamental para a minha recuperação."

– Qual é a sensação de se enfiar na água fria? – perguntei. Tenho aversão por água fria e não poderia tolerar aquelas temperaturas nem por alguns segundos.

– Nos primeiros cinco a dez segundos, meu corpo fica gritando: *Pare, você está se matando*. É doloroso a esse ponto.

– Posso imaginar.

– Mas penso que é um tempo limitado, e vale a pena. Depois do choque inicial, minha pele fica entorpecida. Assim que saio, sinto-me eufórico. É exatamente como tomar uma droga por diversão, por exemplo ecstasy ou analgésicos. Incrível. Me sinto ótimo durante horas.

Durante a maior parte da história humana, as pessoas se banharam em água fria. Só os que viviam perto de uma fonte natural quente podiam, regularmente, desfrutar um banho quente. Não é de se estranhar que as pessoas, então, ficassem mais sujas.

Os antigos gregos desenvolveram um sistema de aquecimento para banhos públicos, mas continuaram a defender o uso de água fria para tratar diversas enfermidades. Na década de 1920, um fazendeiro alemão chamado Vincenz Priessnitz incentivou o uso da água gelada para curar todo tipo de problemas físicos e psicológicos. Chegou a ponto de transformar sua casa em um sanatório para tratamento com água gelada.

Desde o aparecimento do encanamento e do aquecimento modernos, os banhos e as duchas quentes tornaram-se a norma, mas ultimamente a imersão em água gelada voltou a ficar popular.

Atletas de endurance afirmam que a água gelada acelera a recuperação muscular. O *scottish shower*, também chamada de "chuveirada James Bond" por ser um hábito do agente 007 nos romances de Ian Fleming, está novamente popular e consiste em terminar uma ducha quente com, no mínimo, um minuto de ducha fria.

Gurus que imergem em água gelada, como o holandês Wim Hof, tornaram-se celebridades pela capacidade de permanecer por horas seguidas em temperaturas quase congelantes.

Cientistas da Universidade Carolina, em Praga, publicaram no *European Journal of Applied Pshysiology* um experimento no qual dez homens foram voluntários para submergir (com a cabeça para fora) em água gelada (14 °C) durante uma hora.[1]

Usando amostras de sangue, os pesquisadores mostraram que as concentrações de dopamina no plasma (sangue) aumentaram 250%, e que as concentrações de norepinefrina aumentaram 530%, como resultado da imersão em água gelada.

A dopamina aumentou gradual e progressivamente durante o banho gelado e permaneceu elevada por uma hora depois do seu término. A norepinefrina aumentou precipitadamente nos primeiros trinta minutos, estabilizou-se nos trinta minutos finais e caiu para um terço na hora seguinte, mas permaneceu elevada bem acima do patamar mesmo na segunda hora depois do banho. Os níveis de dopamina e de norepinefrina resistiram bem além do próprio estímulo doloroso, o que corrobora a declaração de Michael: "Logo depois que saio, me sinto ótimo durante horas".

Outros estudos que examinaram os efeitos cerebrais da imersão em água gelada em humanos e animais mostram elevações seme- lhantes em neurotransmissores de monoaminas (dopamina, nore- pinefrina, serotonina), os mesmos neurotransmissores que regulam o prazer, a motivação, o humor, o apetite, o sono e a prontidão.

Além dos neurotransmissores, demonstrou-se que o frio extre- mo em animais promove crescimento neuronal, o que é ainda mais notável, uma vez que se sabe que os neurônios alteram sua microes- trutura em reação a apenas um pequeno conjunto de circunstâncias.

Christina G. von der Ohe e seus colegas estudaram os cérebros de esquilos terrestres hibernados.[2] Durante a hibernação, tanto a temperatura corporal quanto a do cérebro caem de 0,5 °C a 3 °C. Em temperaturas congelantes, os neurônios de esquilos terrestres hibernados parecem árvores espigadas com poucos galhos (dendri- tos) e ainda menos folhas (microdendritos).

No entanto, conforme o esquilo terrestre hibernado é aqueci- do, os neurônios mostram um notável recrescimento, como uma floresta transitória no auge da primavera. Esse recrescimento ocorre rapidamente, rivalizando com o tipo de plasticidade neuronal visto apenas no desenvolvimento embrionário.

Os autores do estudo escreveram o seguinte sobre suas descobertas: "As mudanças estruturais que observamos no cérebro do animal que hiberna estão entre as mais dramáticas encontradas na natureza... Considerando que o alongamento dendrítico pode chegar a 114 micrômetros por dia no hipocampo do embrião em desenvolvimento do macaco rhesus, os animais que hibernam apresentam mudanças semelhantes em apenas duas horas".

A descoberta acidental de Michael sobre os benefícios da imersão em água gelada é um exemplo de como a pressão no lado do sofrimento da balança pode levar a seu oposto, o prazer. Ao contrário da pressão no lado do prazer, a dopamina decorrente da dor é indireta e potencialmente mais duradoura. Então, como ela funciona?

A dor leva ao prazer com a ativação dos próprios mecanismos regulatórios homeostáticos do organismo. Neste caso, o estímulo inicial da dor é seguido por *gremlins* pulando no lado do prazer da balança.

Prazer   Dor

O prazer que sentimos é a resposta fisiológica natural e reflexiva do nosso corpo à dor. A mortificação da carne de Martinho Lutero por meio do jejum e do autoflagelo deve tê-lo deixado um pouquinho eufórico, ainda que fosse por motivos religiosos.

Com intermitente exposição à dor, nosso ponto natural de ajuste hedônico pesa para o lado do prazer, tanto que, com o tempo, ficamos menos vulneráveis à dor e mais aptos a sentir prazer.

Prazer   Dor

No final da década de 1960, cientistas conduziram uma série de experimentos em cachorros,[3] que, devido à óbvia crueldade dos experimentos, não seriam permitidos hoje, mas mesmo assim proporcionaram importantes informações sobre homeostase cerebral (ou o equilíbrio da balança).

Depois de ligar as patas traseiras do cachorro a uma corrente elétrica, os pesquisadores observaram: "O cachorro pareceu apavorado nos primeiros choques. Guinchava e se debatia, suas pupilas dilataram, os olhos saltaram, o pelo arrepiou-se, as orelhas deitaram-se para trás, o rabo enrolou-se entre as pernas. Foram vistas defecação e urinação expulsivas, juntamente com muitos outros sintomas de intensa atividade do sistema nervoso autônomo".

Depois do primeiro choque, quando o cachorro foi liberado das correias, "ele se moveu lentamente pela sala, parecendo furtivo, hesitante e arredio". Durante o primeiro choque, a frequência cardíaca do cachorro subiu para 150 batidas por minuto acima do patamar de repouso. Quando o choque terminou, a frequência cardíaca caiu para 30 batidas abaixo da linha básica durante um minuto completo.

Com os choques elétricos subsequentes, "seu comportamento mudou gradualmente. Durante os choques, os sinais de terror desapareceram. Em vez disto, o cachorro pareceu dolorido, incomodado ou ansioso, mas não apavorado. Por exemplo, ele gania, em vez de gritar, e não urinou mais, nem defecou ou se debateu. Depois, quando solto repentinamente ao final da sessão, o cachorro correu por ali, pulou nas pessoas, abanou o rabo, no que chamamos, no momento, 'um ataque de alegria'".

Com os choques subsequentes, a frequência cardíaca do cachorro subiu apenas levemente acima do patamar de repouso, e apenas por alguns segundos. Terminado o choque, a frequência cardíaca diminuiu fortemente para 60 batidas por minuto abaixo do patamar de repouso, o dobro da primeira vez. Levou cinco minutos completos para que a frequência cardíaca voltasse ao patamar de repouso.

Com repetidas exposições a estímulos dolorosos, o humor do cachorro e a frequência cardíaca adaptaram-se igualmente. A reação inicial (dor) ficou mais curta e mais fraca. A reação posterior (prazer) ficou mais longa e mais forte. Dor transformada em hipervigilância transformada em um "ataque de alegria". Uma frequência cardíaca elevada, consistente com uma reação de luta ou fuga, transformou-se numa elevação mínima da frequência cardíaca, seguida por prolongada bradicardia (frequência cardíaca reduzida, vista em estados de relaxamento profundo).

Não é possível ler esse experimento sem sentir pena do animal submetido a essa tortura. No entanto, o chamado "ataque de alegria" sugere uma possibilidade tentadora: ao pressionar o lado da balança para a dor, poderíamos conseguir uma fonte mais duradoura de prazer?

Não é uma ideia nova. Antigos filósofos observaram um fenômeno semelhante. Sócrates (como foi registrado por Platão em "Razões de Sócrates para não temer a morte") refletiu sobre a relação entre sofrimento e prazer, mais de dois mil anos atrás:

Como parece estranha essa coisa que os homens chamam prazer! E como, curiosamente, está relacionada com o que é pensado como seu oposto, o sofrimento! Os dois nunca serão encontrados juntos em um homem e, no entanto, se buscar um deles e o obtiver, está quase fadado a sempre receber também o outro, exatamente como se ambos estivessem ligados a uma mesma cabeça... Onde quer que um se encontre, o outro segue atrás. Assim, no meu caso, já que senti dor na minha perna por causa dos grilhões, parece que o prazer veio em seu encalço.[4]

Em 1969, a cardiologista estadunidense Helen Taussig publicou um artigo na revista *American Scientist* em que descreveu as experiências de pessoas atingidas por raios e que sobreviveram para contar a respeito[5]: "O filho do meu vizinho foi atingido por um raio quando estava voltando de um campo de golfe. Foi atirado no chão. Seu short ficou em trapos, e ele teve queimadura nas coxas. Quando seu amigo o levantou, ele gritou: 'Estou morto, estou morto'. Suas pernas estavam entorpecidas e azuis, e ele não conseguia se mexer. Quando chegou ao hospital mais próximo, estava eufórico. Sua pulsação estava muito baixa." Esse relato lembra o "ataque de alegria" do cachorro, incluindo a pulsação reduzida.

Todos nós experienciamos alguma versão de dor dando lugar ao prazer. Talvez, como Sócrates, você tenha notado uma melhora de humor depois de um período doente, ou sentido uma euforia de corredor, depois de se exercitar, ou tido inexplicável prazer num filme de terror. Assim como a dor é o preço que pagamos pelo prazer, o prazer também é nossa recompensa pela dor.

▸ A ciência da hormese

A hormese é um ramo da ciência que estuda os efeitos benéficos da administração de pequenas a moderadas doses de estímulos tóxicos e/ou dolorosos, tais como frio, calor, mudanças gravitacionais, radiação, restrição alimentar e exercício. Hormese vem do grego antigo *hormáein*: colocar em movimento, impelir, incitar.

Edward J. Calabrese, toxicologista estadunidense e um líder no campo da hormese, descreve esse fenômeno como as "respostas adaptativas dos sistemas biológicos a moderados desafios ambientais ou autoimpostos, pelos quais o sistema aprimora sua funcionalidade e/ou tolerância para desafios mais severos".[6]

Minhocas expostas a temperaturas acima dos seus preferidos 20 °C (35 °C durante duas horas) viveram 25% de tempo a mais e tiveram 25% a mais de probabilidade de sobreviver a temperaturas altas subsequentes do que as minhocas não expostas.[7] Mas o calor em excesso não foi bom. Quatro horas em oposição a duas horas de exposição ao calor reduziram a tolerância subsequente ao calor e diminuíram em um quarto o período de vida.

Drosófilas colocadas em uma centrífuga girando por um prazo de duas a quatro semanas não apenas sobreviveram às que ficaram de fora como também ficaram mais ágeis quando mais velhas, capazes de voar mais alto e por mais tempo do que suas semelhantes. Mas as drosófilas deixadas na centrífuga por mais tempo não prosperaram.[8]

Entre os cidadãos japoneses que moravam fora do epicentro do ataque nuclear de 1945, aqueles com exposição à baixa dosagem de radiação podem ter apresentado um tempo de vida levemente maior e reduzidas porcentagens de câncer, em comparação com os indivíduos não irradiados. Dos que viviam diretamente na vizinhança da explosão atômica, aproximadamente 200 mil morreram no ato.

Os autores teorizaram que "um estímulo em baixa dosagem de reparo de danos no DNA, a remoção de células anômalas via apoptose [morte celular] e eliminação das células cancerosas via imunidade estimulada anticâncer"[9] estão no cerne dos efeitos benéficos da radiação hormese.

Observe que essas descobertas são controversas, contestadas por um ensaio subsequente, publicado na prestigiosa revista *Lancet*.[10]

Um jejum intermitente e restrição calórica estendeu o tempo de vida e aumentou a resistência a doenças relacionadas à idade em roedores e macacos, bem como reduziu a pressão sanguínea e aumentou a variabilidade da frequência cardíaca.[11]

O jejum intermitente tornou-se um tanto popular como maneira de perder peso e aumentar o bem-estar. Algoritmos de jejum incluem jejum em dias alternados, jejum uma vez por semana, jejum de até 9 horas, jejum de uma refeição diária, jejum 16 por 8 (jejuar 16 horas por dia e fazer toda a alimentação dentro da outra janela de 8 horas) e daí por diante.

Jimmy Kimmel, famoso apresentador de programa de entrevistas, pratica o jejum intermitente. "Algo que venho fazendo há uns dois anos é passar fome dois dias por semana...[12] Às segundas e quintas-feiras, como menos de 500 calorias por dia, depois nos outros cinco dias como feito um porco. Você 'surpreende' o corpo, deixa ele pensando."

Não faz muito tempo, esse tipo de comportamento poderia ser considerado um transtorno alimentar. Pouquíssimas calorias é algo prejudicial por motivos óbvios. Mas hoje, em alguns círculos, jejuar é considerado normal e até saudável.

E quanto a exercícios?

O exercício é imediatamente tóxico para as células, causando aumento de temperatura, presença de oxidantes nocivos e falta de oxigênio e glicose. No entanto, a evidência esmagadora é de que o exercício faz bem para a saúde, e que a falta de exercício, principalmente combinada com uma alimentação sedentária crônica – comer demais o dia todo –, é mortal.

O exercício aumenta muitos dos neurotransmissores envolvidos na regulação de um humor positivo: dopamina, serotonina, norepinefrina, epinefrina, endocanabinoides e peptídeos opioides endógenos (endorfinas).[13] O exercício contribui para o nascimento de novos neurônios e de células gliais de suporte. O exercício até reduz a probabilidade do uso de drogas e de se tornar dependente.

Quando os ratos tinham acesso a uma roda de corrida seis semanas antes de ganhar livre acesso a cocaína, eles se autoadministravam a cocaína mais tarde e com menos frequência do que os ratos que não tinham antecipadamente se exercitado na roda. A descoberta tem sido replicada com heroína, metanfetamina e álcool. Quando o exercício não é voluntário, e sim forçado no animal, ainda resulta num consumo voluntário reduzido da droga.

Em seres humanos, grandes quantidades de atividade física no final do ensino fundamental, durante o ensino médio e no começo da vida adulta preveem níveis mais baixos de uso de drogas. Já foi demonstrado também que o exercício ajuda quem já é dependente a parar ou reduzir.

A importância da dopamina para os circuitos motores tem sido registrada em cada filo animal em que tem sido investigada. O nematoide *C. elegans*, verme que é um dos mais simples animais de laboratório, libera dopamina em resposta a estímulos ambientais que sinalizam abundância local de alimento. O conhecido papel da dopamina no movimento físico está relacionado à motivação: para obter o objeto do nosso desejo, precisamos buscá-lo.[14]

É claro que o fácil acesso atual à dopamina não exige que deixemos o sofá. Segundo relatórios de pesquisa, o estadunidense típico de hoje passa sentado metade do tempo em que fica acordado,[15] 50% a mais do que cinquenta anos atrás. Dados de outras nações ricas do globo são comparáveis. Quando pensamos que, antes, percorríamos dezenas de quilômetros diariamente para competir por um suprimento de comida limitado,[16] os efeitos adversos de nosso estilo de vida moderno e sedentário são devastadores.

Às vezes me pergunto se nossa moderna predileção por nos tornamos adictos é, em parte, impulsionada pela maneira como as drogas nos lembram que ainda temos corpo. Os video games mais populares apresentam avatares que correm, pulam, escalam, arremessam e voam. O smartphone requer que percorramos páginas e toquemos em telas, explorando sabiamente antigos hábitos de movimento repetitivo, possivelmente adquiridos através de séculos moendo trigo e colhendo frutos silvestres. Nossa preocupação contemporânea com sexo pode se justificar por ser a última atividade física ainda amplamente praticada.

Uma solução para o bem-estar é sairmos do sofá e movimentarmos nossos corpos reais, não os virtuais. Como digo a meus pacientes, caminhar pelo bairro, nem que seja apenas trinta minutos por dia, pode fazer diferença. Isso porque a evidência é incontestável: o exercício tem um efeito mais positivo, profundo e contínuo no humor, na ansiedade, na cognição, na energia e no sono do que qualquer comprimido que eu possa receitar.[17]

Mas a busca do sofrimento é mais difícil do que a busca do prazer, porque vai contra o nosso reflexo inato de evitar sofrimento e buscar prazer. Fora que exige a nossa capacidade cognitiva, ou seja, temos que nos *lembrar* de que sentiremos prazer depois do sofrimento e somos consideravelmente amnésicos quanto a esse tipo de coisa. Sei que tenho que reaprender as lições de sofrimento toda manhã, enquanto me obrigo a sair da cama e fazer exercício.

Buscar sofrimento em vez de prazer é também contracultural, indo de encontro a todas as mensagens de "bem-estar" que permeiam tantos aspectos da vida moderna. Buda ensinou sobre encontrar o Caminho do Meio entre sofrimento e prazer, mas mesmo o Caminho do Meio tem sido adulterado pela "tirania da conveniência".[18]

Sendo assim, temos que procurar o sofrimento e convidá-lo a fazer parte da nossa vida.

Dor para tratar dor

A administração intencional de dor para tratar dor existe, no mínimo, desde os tempos de Hipócrates, que escreveu em seus

Aforismos em 400 a.C.: "De duas dores que ocorram juntas, não na mesma parte do corpo, a mais forte enfraquece a outra".[19]

A história da medicina está repleta de exemplos do uso de estímulos dolorosos ou nocivos para tratar estados dolorosos de doenças. Às vezes chamados de "terapias heroicas" – ventosas, bolhas, cauterização, moxabustão –, tratamentos dolorosos eram amplamente administrados antes de 1900. A popularidade das terapias heroicas começou a declinar no século 20, quando os médicos descobriram a terapia com drogas.

Com o advento da farmacoterapia, a dor no tratamento da dor começou a ser vista como uma espécie de charlatanismo. Mas conforme as limitações e malefícios da farmacoterapia passaram para primeiro plano nas décadas recentes, tem havido um ressurgimento de interesse em terapias não farmacológicas, incluindo tratamentos dolorosos.

Em 2011, em um artigo num importante periódico médico, Christian Sprenger e seus colegas da Alemanha apresentaram um apoio empírico às antigas ideias de Hipócrates sobre dor.[20] Eles usaram neuroimagens (imagens do cérebro em tempo real) para estudar os efeitos do calor e de outros estímulos dolorosos, aplicados nos braços e nas pernas de vinte homens jovens e saudáveis.

Descobriram que a experiência subjetiva de dor, causada por um estímulo inicial doloroso, era diminuída com a aplicação de um segundo estímulo doloroso. Além disso, a naloxona, um bloqueador de receptor de opioide, impediu esse fenômeno, sugerindo que a aplicação de dor dispara os opioides endógenos (aqueles produzidos pelo próprio organismo).

Liu Xiang, professor na Academia de Medicina Tradicional Chinesa, em Beijing, publicou um estudo em 2001 no *Chinese Science Bulletin*, revisitando a centenária prática de acupuntura e recorrendo à ciência moderna para explicar como ela funciona. Argumentou que a eficácia da acupuntura é mediada através da dor, com a inserção de agulha como principal procedimento: "O agulhamento, que pode danificar o tecido, é uma estimulação nociva que induz dor... inibindo uma grande dor com uma dor menor!".[21]

O bloqueador de receptor de opioide naltrexona está sendo explorado, atualmente, como tratamento médico para dor crônica. A ideia é que, bloqueando os efeitos de opioides, inclusive daqueles que produzimos (endorfinas), enganamos nosso corpo para que ele produza mais opioides como resposta adaptativa.

Em um estudo, 28 mulheres com fibromialgia ingeriram um comprimido diário de baixa dosagem de naltrexona (4,5 mg) durante doze semanas e um comprimido de açúcar (placebo) durante quatro semanas. A fibromialgia é um estado de dor crônica de etiologia desconhecida, com a possibilidade de estar relacionada a um patamar inato mais baixo do indivíduo na tolerância da dor.

O estudo foi duplo-cego, ou seja, nem as mulheres participantes do estudo nem a equipe médica sabiam que comprimido elas estavam tomando. Cada mulher recebeu um computador portátil para registrar sua dor, seu cansaço e outros sintomas diariamente, e elas continuaram a registrar seus sintomas durante quatro semanas após terem parado de ingerir as cápsulas.

Os autores do estudo relataram que "participantes experimentaram uma redução significativamente maior em seus níveis de dor, enquanto estavam tomando o LDN [baixa dosagem de naltrexona], em comparação com o placebo. Elas também relataram uma melhora geral de satisfação com a vida e melhora de humor, enquanto tomavam LDN".[22]

Desde o começo dos 1900, tem se aplicado eletricidade no cérebro para o tratamento de doença mental. Em abril de 1938, Ugo Cerletti e Lucino Bini realizaram o primeiro tratamento de eletroconvulsoterapia (ECT) num paciente de 40 anos, que descreveram da seguinte maneira: "Ele se expressava exclusivamente num palavreado incompreensível, composto de neologismos esquisitos e, desde sua chegada de Milão por trem, sem passagem, não se conseguiu determinar nada sobre a sua identidade".[23]

Quando Cerletti e Bini aplicaram eletricidade no cérebro do paciente pela primeira vez, observaram um "pulo súbito do paciente em sua cama, com um enrijecimento bem curto de todos os músculos; depois, imediatamente desabou na cama, sem perder a consciência. O paciente logo começou a cantar bem alto, depois se calou. Ficou evidente por nossa experiência com cães que a voltagem tinha sido baixa demais".

Cerletti e Bini questionaram se deveriam aplicar mais um choque, numa voltagem maior. Enquanto conversavam, o paciente gritou: "*Non uma seconda! Mortífera!*" [De novo não! Vai me matar!]. Apesar dos protestos, eles aplicaram um segundo choque, como se fosse uma advertência para, da próxima vez, pensar duas vezes antes de chegar em Milão sem uma passagem de trem ou "uma identidade verificável" – o ano era 1938.

Depois de o "paciente" ter se recuperado do segundo choque, Cerletti e Bini observaram-no "sentar-se por conta própria, olhar ao redor calmamente com um sorriso vago, como se perguntasse o que era esperado dele. Perguntei-lhe 'O que anda acontecendo com você?'. Ele respondeu sem usar o palavreado sem nexo: 'Não sei, vai ver que andei dormindo'. O primeiro paciente recebeu mais treze tratamentos de ECT num prazo de dois meses e foi, segundo relato, dispensado em completa recuperação".

O ECT ainda é realizado hoje com bons resultados, embora de maneira muito mais humana. Relaxantes e paralisantes musculares impedem contrações dolorosas. Anestésicos permitem que os pacientes permaneçam dormindo e inconscientes durante a maior parte do procedimento. Então, não se pode dizer, atualmente, que a dor, por si, seja o fator mediador.

Não obstante, o ECT proporciona um choque hormético no cérebro, que por sua vez estimula uma ampla resposta compensatória para reafirmar a homeostase: "O ECT provoca várias mudanças neurofisiológicas, bem como neuroquímicas no contexto macro e micro do cérebro. Diversas mudanças envolvendo expressões de genes, conectividade funcional, neuroquímicos, permeabilidade da barreira hematoencefálica e alteração no sistema imune têm sido sugeridas como responsáveis pelos efeitos terapêuticos do ECT".[24]

Você se lembra de David, o entusiasta de computadores que acabou no hospital depois de ficar dependente de estimulantes vendidos sob receita médica, certo?

Depois que recebeu alta, ele começou a fazer semanalmente uma terapia de exposição com uma terapeuta jovem e talentosa da nossa equipe. Os princípios básicos da terapia de exposição é expor as pessoas em intervalos progressivos à própria coisa que provoca a emoção incômoda que elas estão tentando evitar – estar em meio a multidões, dirigir por cima de pontes, voar de avião etc.–, e ao fazer isto, aumentar sua capacidade de tolerância para aquela atividade. Com o tempo, elas até podem vir a gostar daquilo.

Como a famosa frase dita pelo filósofo Friedrich Nietzsche, sentimento ecoado por muitos antes e depois ao longo do tempo: "O que não me mata me fortalece".

Considerando que o maior medo de David era conversar com estranhos, sua primeira tarefa foi se forçar a bater papo com colegas de trabalho.

– Minha lição de casa da terapia – ele me contou meses depois – foi ir até a copa, ou a sala de descanso, ou ao café, no trabalho, e conversar com pessoas ao acaso. Eu tinha um roteiro: "Oi, meu nome é David. Trabalho em desenvolvimento de software. O que você faz?". Defini um esquema: antes do almoço, na hora do almoço e depois do almoço. Então, eu avaliava meu incômodo antes, durante e depois, numa escala de 1 a 100, sendo que 100 seria o pior que eu pudesse imaginar.

Num mundo em que estamos crescentemente nos contabilizando – passos, respiração, frequência cardíaca – atribuir um número a alguma coisa tornou-se uma maneira de controlar e descrever experiências. Para mim, quantificar coisas não é muito natural, mas aprendi a me adaptar, uma vez que esse método de autoconhecimento parece ecoar bem para os entusiastas da engenharia de computação voltada para a ciência, que existem com tanta abundância aqui no Vale do Silício.

– Como você se sentiu antes da interação? Em que número você estava? – perguntei.

– No começo, estava no 100. Me sentia muito apavorado. Meu rosto ficava todo vermelho. Eu suava.

– O que você tinha medo que acontecesse?

– Tinha medo de as outras pessoas olharem para mim e rirem. Ou de chamarem os Recursos Humanos ou a segurança, por eu parecer maluco.

– Como foi?

– Nenhuma das coisas que eu tinha medo aconteceu. Ninguém chamou o RH, nem a segurança. Fiquei ali o maior tempo possível, simplesmente deixando minha ansiedade passar, enquanto também era respeitoso com o tempo deles. As interações duraram, talvez, quatro minutos.

– Como você se sentiu depois?

– Depois eu estava mais ou menos em 40. Bem menos ansioso. Então, fiz isso três vezes por dia, durante semanas, e com o tempo foi ficando mais fácil. Aí, me pus à prova com pessoas fora do trabalho.

– Me conte.

– Na Starbucks, bati papo de propósito com o barista. Nunca teria feito isto no passado. Sempre pedia pelo aplicativo para evitar interagir com alguém. Mas dessa vez fui até o balcão e pedi meu café. Meu maior medo era dizer ou fazer alguma coisa idiota. Eu estava indo bem até derrubar um pouquinho de café no balcão. Fiquei muito constrangido. Quando contei para a minha terapeuta, ela me disse para fazer aquilo de novo, derrubar o café, só que de propósito. Na próxima vez em que eu fui à Starbucks, derrubei meu café de propósito. Fiquei ansioso, mas me acostumei.

— Por que você está sorrindo?

— Quase não consigo acreditar em como a minha vida está diferente agora. Estou menos na defensiva. Não tenho que planejar antecipadamente para evitar interagir com as pessoas. Consigo entrar no metrô lotado e não chegar atrasado ao trabalho por ter esperado o próximo, e o outro depois daquele. Realmente gosto de encontrar pessoas que nunca mais vou ver.

Em um exame de imagem do cérebro, descobriu-se que Alex Honnold (alpinista famoso por escalar sem cordas o paredão do El Capitán, no Parque Nacional de Yosemite, na Califórnia) tem ativação da amígdala abaixo do normal. Para a maioria de nós, a amígdala é uma área do cérebro que se acende em um aparelho de ressonância magnética funcional, quando olhamos para imagens assustadoras.

Os analistas que estudaram o cérebro de Honnold especularam que ele teria nascido com menos medo inato do que outras pessoas, o que, por sua vez, permitiu-lhe, segundo suposições, realizar feitos sobre-humanos em escaladas.

Mas o próprio Honnold discordou dessa interpretação: "Fiz muitas escaladas sozinho e trabalhei tanto na minha capacidade de escalar, que minha zona de conforto é bem ampla. Então, essas coisas que faço e parecem bem extraordinárias, para mim parecem normais".[25]

A explicação mais provável para as diferenças cerebrais de Honnold é o desenvolvimento de tolerância ao medo através de uma neuroadaptação. Meu palpite é que o cérebro dele não era diferente do cérebro médio, em termos de sensibilidade ao medo. A diferença é que, ao longo dos anos de escalada, Honnold treinou o cérebro a não reagir a estímulos temerosos. É preciso muito mais para assustá-lo do que para a pessoa comum, porque ele progressivamente se expôs a atividades que desafiavam a morte.

Destaque-se que Honnold quase teve um ataque de pânico ao entrar num aparelho de ressonância magnética funcional, para obter imagens do seu "cérebro destemido", o que também nos diz que a tolerância ao medo não se verifica, necessariamente, em todas as experiências.

Alex Honnold e meu paciente David vêm escalando diferentes trechos da mesma montanha do medo. Assim como o cérebro de Honnold adaptou-se a escalar a face rochosa sem cordas, David desenvolveu as calosidades mentais que o capacitaram a tolerar ansiedade e ganhou uma sensação de confiança e competência em relação a si mesmo e sua habilidade de viver no mundo.

Dor no tratamento de dor. Ansiedade no tratamento de ansiedade. Essa abordagem é contraintuitiva e exatamente oposta ao que nos ensinaram nos últimos 150 anos sobre como lidar com doença, aflição e desconforto.

▸ Dependente da dor

– Com o tempo, percebi que quanto mais dor sentia com o choque inicial da água fria, maior a euforia depois – disse Michael. Então, comecei a encontrar meios de aumentar o desafio. Comprei um freezer horizontal, que nada mais é do que um contêiner com uma tampa e resistências internas de resfriamento, e enchia-o com água toda noite. De manhã, havia uma fina camada de gelo na superfície, e a temperatura era próxima de 0 °C. Antes de entrar, precisava quebrar o gelo.

"Então, li que o corpo aquece a água depois de alguns minutos a não ser que a água esteja em movimento, como um rodamoinho. Comprei um motor para pôr dentro do banho de gelo. Assim, poderia manter temperaturas quase congelantes, enquanto estivesse dentro. Também comprei um protetor de colchão hidroelétrico para a minha cama, que eu mantinha nas temperaturas mais baixas, cerca de 13 °C."

Michael parou de falar abruptamente e olhou para mim com um sorriso torto:

– Uau! Enquanto estou contando, percebi que... soa como uma dependência.

***

Em abril de 2019, o professor Alan Rosenwasser da Universidade do Maine me mandou um email, procurando uma cópia de um capítulo que eu e uma colega tínhamos publicado recentemente sobre a função do exercício no tratamento da dependência. Eu e ele nunca tínhamos nos encontrado. Depois de obter permissão com o editor, enviei-lhe o capítulo.

Cerca de uma semana depois, ele voltou a escrever, desta vez com o seguinte:

> *Agradeço por compartilhar. Notei que você não abordou a questão de se a roda de corrida em camundongos e ratos é um modelo para exercício voluntário ou exercício patológico (dependência de exercício). Alguns animais alojados em rodas exibem o que poderia ser considerado níveis excessivos de corrida, e um estudo demonstrou que roedores silvestres usarão uma roda de corrida deixada ao ar livre no meio ambiente.*

Fiquei fascinada e escrevi de volta imediatamente. Seguiu-se uma série de conversas em que o Dr. Rosenwasser, que passou os últimos quarenta anos estudando ciclos circadianos[*], ensinou-me sobre rodas de corrida.

---

[*] Ciclo ou ritmo circadiano é a maneira como nosso corpo se regula nas 24 horas do dia, que determina uma série de comportamentos e influencia várias funções do nosso organismo. (N. T.)

– Quando esse trabalho começou a ser feito – Rosenwasser me contou –, deduziu-se, erradamente, que as rodas de corrida eram uma maneira de monitorar a atividade espontânea dos animais, repouso versus movimento. Em algum momento, as pessoas se deram conta de que as rodas de corrida não são inertes. São interessantes por si só. Um dos pontapés foi a neurogênese hipocampal adulta.

Isto se refere à descoberta, algumas décadas atrás, de que, ao contrário do que se ensinou anteriormente, os seres humanos podem gerar novos neurônios no cérebro durante a maturidade e a velhice.

– Depois que as pessoas aceitaram o fato de que nascem novos neurônios e que eles se integram ao circuito neural – Rosenwasser continuou –, uma das maneiras mais fáceis de estimular neurogênese foi com uma roda de corrida, mais potente do que ambientes estimulantes [labirintos complexos, por exemplo]. Isso levou a toda uma era de pesquisa das rodas de corrida. Acontece que as rodas de corrida são regidas pelos mesmos circuitos endo-opioides e endocanabinoides de dopamina que acionam o uso compulsivo de droga. É importante saber que as rodas de corrida não são necessariamente um modelo para um estilo de vida saudável.

Em resumo, as rodas de corrida são uma droga.

Camundongos dentro de um labirinto complexo, com 230 metros de túneis, incluindo água, comida, material de escavação e ninhos – em outras palavras, uma grande área com muitas coisas interessantes para fazer –, bem como uma roda de corrida, passarão grande parte do tempo na roda, e deixarão inexplorados grandes segmentos do labirinto.

Depois que os roedores começam a usar a roda de corrida, é difícil pararem. Os roedores correm distâncias muito maiores em uma roda de corrida do que em uma esteira plana, ou em um labirinto, e também muito mais do que fariam durante a locomoção normal em ambientes naturais.

Roedores engaiolados com acesso a uma roda de corrida correrão até seus rabos ficarem permanentemente curvados para cima e em direção à cabeça, adquirindo o formato da roda: quanto menor a roda, mais fechada a curva do rabo. Em alguns casos, os ratos correm até morrer.[26]

A localização, a novidade e a complexidade da roda de corrida influenciam seu uso.

Camundongos silvestres preferem rodas quadradas às circulares, e rodas com obstáculos a rodas sem obstáculos. Eles exibem uma quantidade notável de coordenação e habilidade acrobática nas rodas de corrida. Assim como os adolescentes num parque de skate, eles "são levados repetidamente até quase o topo, rodando para frente ou para trás, correndo do lado de fora da roda na parte superior, ou 'em cima' da parte externa da roda, enquanto usam o rabo para se equilibrar".

C. M. Sherwin, em sua pesquisa de 1997 sobre rodas de corrida, especulou sobre as propriedades intrínsecas de reforço dessas rodas:

> *A qualidade tridimensional da roda de corrida pode ser um reforço para os animais. Enquanto corre na roda, um animal experienciará rápidas mudanças na velocidade e na direção do movimento, em parte por causa de forças exógenas, como impulso e inércia da roda. Esta experiência pode servir de reforço, semelhante ao que acontece com (alguns!) humanos que gostam de atrações no parque de diversão, especialmente as de movimento no plano vertical... tais mudanças no movimento do animal são improváveis de serem vivenciadas em circunstâncias "naturais".*

Johanna Meijer e Yuri Robbers do Centro Médico da Universidade Leiden, na Holanda, colocaram uma roda de corrida numa área urbana, onde vivem camundongos silvestres, e outra numa duna não acessível ao público. Em cada um desses lugares, colocaram também uma câmera de vídeo para registrar todo animal que visitasse as gaiolas no prazo de dois anos.

O resultado foram centenas de casos de animais usando as rodas de corrida: "A observação mostrou que camundongos silvestres correm nas rodas o ano todo; na área verde urbana, aumentam o uso gradualmente no final da primavera e chegam ao pico no verão; já nas dunas, aumentam o uso do meio para o final do verão, alcançando um pico no final do outono".[27]

O uso das rodas não se limitou aos camundongos silvestres. Também musaranhos, ratos, caramujos, lesmas e sapos se aproveitaram do aparelho, e a maioria deles demonstrou um envolvimento intencional e proposital com a roda.

Os autores concluíram que "a roda de corrida pode ser experienciada como gratificação, mesmo sem a associação de recompensa de comida, sugerindo a importância dos sistemas de motivação que não têm relação com alimentos".

Esportes extremos – paraquedismo em queda livre (*skydiving*), kitesurf, asa-delta, corrida de trenó, esqui alpino, *snowboard*, caiaque em cachoeira, escalada no gelo, ciclismo cross-country, bungee jump, *base jump*, voo com *wingsuit* – atuam intensamente e com rapidez no lado do sofrimento da balança prazer-sofrimento. Um sofrimento/medo intenso, combinado com uma descarga de adrenalina, cria uma droga potente.

Cientistas mostraram que o estresse por si só pode aumentar a liberação de dopamina no circuito de recompensa do cérebro,[28] levando às mesmas mudanças cerebrais vistas com drogas adictivas, como a cocaína e a metanfetamina.

Assim como nos tornamos tolerantes a estímulos de prazer com exposição repetitiva, também podemos nos tornar tolerantes a estímulos dolorosos, reconfigurando nosso cérebro para o lado da dor.

Um estudo de *skydivers* comparado a um grupo de controle (remadores) descobriu que *skydivers* recorrentes tinham mais probabilidade de experienciar anedonia, uma falta de prazer, em outros aspectos da vida.

Os autores escreveram que "o paraquedismo em queda livre se assemelha a comportamentos adictivos, e que a frequente exposição a experiências de 'euforia natural' tem relação com anedonia".[29] Dificilmente eu chamaria pular de um avião a 13 mil pés de altura de "euforia natural", mas concordo com a conclusão geral dos autores: o paraquedismo em queda livre pode ser adictivo e pode levar a uma persistente disforia, se realizado repetidamente.

A tecnologia permitiu-nos empurrar os limites da dor humana.

Em 12 de julho de 2015, o ultramaratonista Scott Jurek quebrou o recorde de velocidade ao correr a Trilha dos Apalaches. Ele correu do estado da Geórgia até o estado do Maine, nos Estados Unidos – uma distância de 3.523 quilômetros – em 46 dias, 8 horas e 7 minutos. Para realizar esse feito, apoiou-se na seguinte tecnologia e dispositivos: roupas leves, impermeáveis e resistentes ao calor; tênis de corrida "air-mesh"; um localizador GPS, um relógio GPS, um iPhone, sistemas de hidratação, comprimidos de eletrólitos, bastões para trekking de alumínio dobrável, "vaporizadores industriais de água para estimular nebulização", "um *cooler* para resfriar minhas entranhas",[30] uma dieta de 6 mil a 7 mil calorias diárias, e um aparelho pneumático de compressão para massagear as pernas, alimentado por painéis solares no alto da van de apoio, dirigida por sua esposa e equipe.

Em novembro de 2017, Lewis Pugh nadou um quilômetro em águas a -3 °C, perto da Antártida, com nada além do seu traje de banho. Chegar até lá exigiu viajar de avião e por mar desde sua casa na África do Sul até as ilhas Geórgia do Sul, um território britânico ultramarino. Assim que Pugh terminou de nadar, sua equipe levou-o rapidamente para um navio próximo, onde ele foi imerso em água quente e lá ficou por cinquenta minutos, para trazer sua temperatura corporal interna de volta ao normal. Sem essa intervenção, com certeza ele teria morrido.

A escalada do El Capitán por Alex Honnold parece a realização humana definitiva, sem o uso de tecnologia, sem cordas, sem equipamento. Apenas uma pessoa enfrentando a gravidade, numa demonstração de coragem e maestria no desafio da morte. Mas, por todos os relatos, o feito de Honnold não teria sido possível sem as "centenas de horas na Freerider [a rota que ele pegou], ligado a cordas, planejando uma coreografia precisamente ensaiada para cada trecho, memorizando milhares de sequências intrincadas de mãos e pés".[31]

A subida de Honnold foi filmada por uma equipe profissional de cinema e transformada em um filme assistido por milhões de pessoas, o que assegurou a ele um número massivo de seguidores nas redes sociais e fama mundial. Riqueza e celebridade, outra dimensão de nossa economia da dopamina, contribuem para o potencial adictivo desses esportes extremos.

A síndrome do *overtraining* é uma condição bem descrita, mas mal compreendida entre atletas de resistência, que treinam tanto que chegam a um ponto em que o exercício já não produz as endorfinas antes tão abundantes.[32] Em vez disso, o exercício faz com que se sintam esgotados e disfóricos, como se a balança de recompensa tivesse chegado ao limite e deixado de funcionar, semelhante ao que vimos com meu paciente Chris e os opioides.

Não estou sugerindo que todos que se dedicam a esportes extremos e/ou de resistência sejam adictos, mas quero frisar que o risco da dependência a qualquer substância ou comportamento aumenta com a intensificação da potência, da quantidade e da duração. Pessoas que se apoiam demais e por muito tempo no lado sofrimento da balança também podem acabar num estado de déficit persistente de dopamina.

Excesso de dor, ou uma dor potente demais, pode aumentar o risco de se tornar dependente da dor, algo que presenciei na prática médica. Uma paciente minha correu tanto que desenvolveu fraturas nos ossos da perna, e mesmo assim não parou de correr. Outra paciente cortava a parte interna dos antebraços e das coxas com uma lâmina de barbear, para sentir adrenalina e acalmar as ruminações constantes da mente. Ela não conseguia parar de se cortar, mesmo com o risco de grave cicatrização e infecção.

Quando conceitualizo esses comportamentos como adicções e os trato como trataria qualquer paciente com dependência, eles melhoram.

▸ Dependente do trabalho

Ser workaholic é um comportamento estimulado pela sociedade. Talvez em nenhum outro lugar isso seja mais verdadeiro do que aqui, no Vale do Silício, onde a norma é 100 horas de trabalho por semana, e disponibilidade 24 horas, sete dias por semana.

Em 2019, após três anos de viagens mensais a trabalho, decidi limitá-las, num esforço para colocar o trabalho e a vida pessoal de volta a um equilíbrio. No começo, falava abertamente sobre o motivo: queria mais tempo com a minha família. As pessoas pareceram tanto contrariadas quanto ofendidas que eu declinasse seus convites por um motivo tão prosaico quanto "tempo com a família". Acabei recorrendo a dizer que já tinha outro compromisso, justificativa que encontrou menos resistência. Ao que parecia, trabalhar em outro lugar era mais aceitável.

Incentivos invisíveis são agora entremeados no tecido do trabalho corporativo, desde a perspectiva de bônus e a opção de ações até a promessa de promoção. Mesmo em áreas como medicina, profissionais de saúde veem mais pacientes, prescrevem mais receitas e realizam mais procedimentos por serem incentivados a fazer isto. Recebo um relatório mensal sobre a minha produtividade, com a avaliação de quanto faturei em prol da minha instituição.

Por outro lado, os trabalhos braçais estão cada vez mais mecanizados e desligados do significado do próprio trabalho. Trabalhar a serviço de beneficiários distantes traz uma limitação de autonomia, um modesto ganho financeiro e pouca sensação de um objetivo comum. O trabalho segmentado de linha de montagem fragmenta a sensação de realização e minimiza o contato com o consumidor do produto final, ambos básicos para uma motivação interna. O resultado é uma mentalidade *"work hard, play hard"**, na qual o hiperconsumo compulsivo torna-se a recompensa no final de um dia de trabalho maçante.

Assim, não é de se surpreender que aqueles que não completaram o ensino médio e têm empregos que pagam mal estejam trabalhando menos do que nunca, enquanto os assalariados com alto nível educacional estejam trabalhando mais.[33]

Em 2002, os 20% dos trabalhadores mais bem pagos tinham o dobro de probabilidade de trabalhar até tarde do que os 20% mais mal pagos, e essa tendência continua. Os economistas especulam que a mudança se deve às gratificações mais altas para aqueles que estão no topo da cadeia econômica produtiva.

Às vezes, quando estou engatada num trabalho, acho difícil parar. O "fluxo" de concentração profunda é uma droga em si mesmo, liberando dopamina e criando sua própria euforia. Este tipo de foco obsessivo, embora altamente recompensado nas nações modernas ricas, pode ser uma armadilha quando nos impede de conexões íntimas com amigos e família pelo resto da vida.

▶ O veredicto da dor

Como se respondesse à sua própria pergunta sobre ter se tornado dependente da imersão em água fria, Michael comentou:

– Nunca perdi o controle. Por dois ou três anos, tomei um banho gelado de dez minutos toda manhã. Agora já não estou tão nessa quanto costumava. Faço isto, em média, três vezes por semana. O que realmente é incrível é que passou a ser uma atividade familiar, e uma coisa que fazemos com amigos. Tomar drogas sempre foi um ato social. Na faculdade, uma porção de pessoas

---

* Em português, seria "dê duro e divirta-se à beça". (N. T.)

caía pesado. Era sempre todos sentados juntos, em roda, bebendo ou cheirando cocaína.

"Não faço mais isso. Agora, um casal de amigos nossos vem em casa... Eles também têm filhos, e a gente faz uma reunião em água gelada. Tenho um contêiner ajustado por volta de 7 °C, e todo mundo se reveza, entrando e saindo, alternando com uma banheira quente. Temos um timer e nos incentivamos a entrar, inclusive as crianças. A tendência também se espalhou entre nossos amigos. Esse grupo só de mulheres, no nosso grupo de amigos, vai até a Baía de São Francisco uma vez por semana e entra na água. Elas afundam até o pescoço. A água está entre 10 °C e 15 °C."

– E depois?

– Sei lá – ele riu. – Provavelmente elas saem e comemoram. Nós dois sorrimos.

– Você disse várias vezes que faz isso para se sentir vivo. Dá para explicar?

– Realmente não gosto da sensação de estar vivo. As drogas e a bebida eram uma maneira de gostar. Agora não posso mais recorrer a elas. Quando vejo pessoas na farra, ainda sinto um pouco de inveja da fuga que estão conseguindo. Percebo que elas encontram uma trégua. A água fria me lembra que estar vivo pode ser uma sensação boa.

Quando consumimos um excesso de dor, ou uma dor muito potente, corremos o risco de um hiperconsumo compulsivo destrutivo.

Mas se consumirmos exatamente a quantidade certa, "inibindo uma grande dor com uma dor menor", descobrimos o caminho para uma cura hormética, e talvez até um ocasional "ataque de alegria". ■

CAPÍTULO 8 —————————————————————

Honestidade radical

TODAS AS RELIGIÕES MAIS DESTACADAS E OS CÓDIGOS DE ÉTICA mais relevantes incluíram a honestidade como base de seus ensinamentos morais. Todos os meus pacientes que conseguiram uma recuperação de longo prazo invocaram o fato de dizer a verdade como essencial para a manutenção de sua saúde física e mental. Também me convenci de que a honestidade radical não apenas é útil para limitar o hiperconsumo compulsivo, mas também o cerne de uma vida bem vivida.

A questão é: de que forma contar a verdade melhora a nossa vida?

Vamos primeiro estabelecer que contar a verdade é doloroso. Desde a mais tenra idade estamos ligados à mentira, e todos nós mentimos, admitamos ou não.

As crianças começam mentindo já aos 2 anos. Quanto mais esperta, mais probabilidade ela tem de mentir, e melhor ela se sai mentindo. A mentira tende a diminuir entre os 3 e os 14 anos, provavelmente porque as crianças se tornam mais conscientes de que mentir magoa as pessoas. Por outro lado, os adultos são capazes de mentiras antissociais mais sofisticadas do que as crianças, uma vez que a habilidade de planejar e de se lembrar torna-se mais evoluída.

Em média, o adulto conta de 0,59 a 1,56 mentiras diariamente.[1] *A mentira tem pernas curtas.* Todos nós temos alguma mentirinha escondida.

Os seres humanos não são os únicos animais com capacidade para enganar. O reino animal está cheio de exemplos de dissimulação, como arma e como escudo. O escaravelho *Lomechusa pubicollis*, por exemplo, é capaz de penetrar nos formigueiros fingindo ser uma das formigas, algo que consegue soltando uma substância química que faz com que tenha o cheiro delas. Uma vez lá dentro, ele se alimenta dos ovos e das larvas.

Mas nenhum outro animal se iguala ao ser humano na capacidade de mentir.

Os biólogos evolucionistas especulam que o desenvolvimento da linguagem humana explica nossa tendência e habilidade superior para mentir. A história é a seguinte: a evolução do *Homo sapiens* culminou com a formação de grandes grupos sociais, o que só foi possível por causa do desenvolvimento de formas sofisticadas de comunicação, permitindo uma cooperação mútua avançada. Palavras usadas para cooperar também podem ser usadas para enganar e despistar. Quanto mais avançada a língua, mais sofisticadas as mentiras.

Pode-se dizer que as mentiras têm alguma vantagem adaptativa quando se trata de competir por recursos escassos, mas mentir em um mundo de fartura implica em risco de isolamento, sofreguidão e hiperconsumo patológico.

Deixe-me explicar.

***

— Você parece bem — eu disse a Maria, quando nos sentamos uma em frente à outra em abril de 2019. Seu cabelo castanho-escuro estava penteado num estilo profissional que lhe favorecia. Vestia uma camisa simples de botão e calça comprida. Sorria, atenta, muito elegante, como nos cinco anos anteriores em que esteve sob meu tratamento.

Maria estivera em remissão contínua do seu transtorno de uso de álcool durante todo o tempo em que convivi com ela. Chegou ao consultório já em recuperação, graças a sua frequência às reuniões dos Alcoólicos Anônimos e ao apoio de seu padrinho do AA. Ela me procurava de vez em quando para consultas de rotina e para renovar seus medicamentos. Tenho total convicção de que aprendi mais com ela do que ela comigo. Uma coisa que ela me ensinou foi que contar a verdade era fundamental para sua recuperação.

Na infância, ela tinha aprendido o oposto. Sua mãe bebia, inclusive a ponto de perder a consciência enquanto dirigia com Maria no carro. O pai deixou a família por vários anos e foi para um lugar que ninguém nunca mencionava e que, mesmo agora, ela preferia não revelar por respeito à privacidade dele. Sobrou para Maria cuidar dos irmãos menores, enquanto fingia para o mundo externo que estava tudo bem em casa. Quando sua própria dependência de álcool começou, aos 20 e poucos anos, ela já tinha prática em misturar diferentes versões da realidade.

Para ilustrar a importância da honestidade em sua nova vida sóbria, ela me contou a seguinte história:

– Cheguei em casa, depois do trabalho, e encontrei um pacote da Amazon esperando por Mario.

Mario é o irmão mais novo de Maria. Ela e seu marido, Diego, estavam morando com Mario para dar um apoio uns aos outros, e economizar no aluguel no mercado imobiliário de alto padrão do Vale do Silício.

– Decidi abri-lo, mesmo não sendo para mim. Em parte sabia que não deveria. Das outras vezes que abri os pacotes, Mario ficou muito bravo. Mas eu sabia que poderia usar a mesma desculpa da última vez, dizer que tinha confundido o nome dele com o meu, já que são tão parecidos. Pensei que merecia um pequeno prazer depois de um longo dia de trabalho duro. Não me lembro, agora, o que tinha dentro.

"Depois de abrir o pacote, voltei a fechá-lo e deixei-o com o restante da correspondência. Para dizer a verdade, me esqueci do assunto. Mario chegou em casa algumas horas depois, e imediatamente me acusou de abrir o pacote. Menti e disse que não tinha. Ele tornou a perguntar e eu tornei a mentir. Ele ficava dizendo: 'Parece que alguém abriu'. E eu ficava dizendo: 'Não fui eu'. Então, ele ficou realmente furioso e levou sua correspondência e o pacote para o quarto e bateu a porta.

"Naquela noite, dormi muito mal. Na manhã seguinte, sabia o que precisava fazer. Entrei na cozinha, onde Mario e Diego tomavam café e disse: Mario, abri mesmo o seu pacote. Sabia que era seu, mas abri mesmo assim. Depois, tentei disfarçar. Depois menti. Sinto muito. Por favor, me perdoe."

– Me diga por que a honestidade é uma parte tão importante na sua recuperação – pedi.

– Se fosse no tempo em que eu bebia, jamais teria admitido a verdade. Naquela época, eu mentia a respeito de tudo e nunca assumia responsabilidade pelas coisas que fazia. Havia uma quantidade enorme de mentiras, e metade delas nem chegava a fazer sentido.

O marido de Maria, Diego, contou-me uma vez que Maria costumava se esconder no banheiro para beber, ligando o chuveiro para ele não ouvir o som das garrafas de cerveja sendo abertas, sem se dar conta de que ele podia ouvir o tinir do abridor de garrafa quando ela o tirava do esconderijo atrás da porta do banheiro. Ele descreveu que ela costumava beber, de uma vez só, um pacote de seis cervejas, e depois encher as garrafas com água e colar a tampa de volta.

– Será que ela achava mesmo que eu não sentiria o cheiro da cola ou que não perceberia a diferença entre o gosto da água e do álcool?

Maria contou:

– Eu mentia para esconder minha bebedeira, mas também mentia sobre outras coisas, coisas que nem tinham importância: onde eu estava indo, quando voltaria, por que tinha me atrasado, o que comi no café da manhã.

Maria tinha desenvolvido o Hábito de Mentir. O que começou como uma maneira de encobrir a bebedeira da mãe e a ausência do pai, e por fim sua própria adicção, transformou-se em mentira pela mentira.

É incrivelmente fácil cair no Hábito de Mentir. Nós todos nos dedicamos a mentir regularmente, na maioria das vezes sem perceber. Nossas mentiras são tão pequenas e imperceptíveis que nos convencemos de estar contando a verdade, ou de que não tem importância, mesmo sabendo que estamos mentindo.

– Naquele dia, quando contei a verdade ao Mario, mesmo sabendo que ele ficaria furioso, percebi que algo realmente havia mudado em mim, na minha vida. Sabia que estava comprometida a viver a vida de maneira diferente, de uma maneira melhor. Estava cansada de todas aquelas mentirinhas enchendo o fundo da minha mente, me fazendo sentir culpada e com medo... culpada por mentir e com medo de que alguém descobrisse. Percebi que, desde que eu diga a verdade, não preciso me preocupar com nada disso. Estou livre. Depois de ter contado ao meu irmão a verdade sobre o pacote, aquilo foi um trampolim para nossa relação ficar mais próxima.

A honestidade radical – dizer a verdade tanto sobre coisas importantes quanto sobre as irrelevantes, em especial quando isso expõe nossas fraquezas e acarreta consequências – é essencial não apenas para se recuperar da dependência, mas para todos nós que tentamos viver uma vida mais equilibrada em nosso ecossistema saturado de recompensas. Isso funciona em muitos níveis.

Em primeiro lugar, a honestidade radical estimula uma consciência das nossas ações. Em segundo, cria conexões humanas próximas. Em terceiro, leva a uma autobiografia verdadeira, o que nos mantém responsáveis não apenas pela nossa identidade atual, mas também por nossas futuras identidades. Além disso, contar a verdade é contagioso, e poderia até mesmo impedir o desenvolvimento de uma futura adicção.

▶ Conscientização

Anteriormente, descrevi o mito grego de Ulisses para ilustrar o autocomprometimento físico. O epílogo dessa história é pouco conhecido, mas bastante relevante aqui.

Lembra que Ulisses pediu à tripulação que o amarrasse no mastro do veleiro para evitar a sedução das sereias? Mas pense bem: ele poderia simplesmente ter colocado cera de abelha nos ouvidos, como mandou o restante da tripulação fazer, e se livrar do sofrimento. Ulisses não era ávido por castigo. Ocorre que as sereias só poderiam ser mortas se quem as ouvisse vivesse para depois contar a história. Então, Ulisses venceu as sereias ao narrar a sua viagem quase mortal. A matança estava na narrativa.

O mito de Ulisses destaca uma característica importante da mudança de comportamento: compartilhar nossas experiências nos dá domínio sobre elas. Seja no contexto da psicoterapia, conversando com um padrinho do AA, confessando a um padre, confidenciando a um amigo, seja escrevendo em um diário, nossa revelação honesta põe em destaque nosso comportamento, permitindo-nos, em alguns casos, percebê-lo pela primeira vez. Isto é especialmente verdade nos comportamentos que envolvem um nível de automatismo fora da conscientização deliberada.

Quando eu lia romances baratos compulsivamente, só uma parte minha tinha consciência de estar fazendo isto. Ou seja, eu estava ciente do comportamento, ao mesmo tempo em que não estava. É um fenômeno bem reconhecido da adicção, um tipo de estado semiconsciente parecido com um devaneio, frequentemente chamado de *negação*.

A negação é provavelmente mediada por uma desconexão entre a parte do cérebro onde está o circuito da recompensa e as regiões corticais mais altas, que nos permitem narrar os acontecimentos da vida, avaliar consequências e planejar o futuro. Muitas formas de tratamento para dependência envolvem reforçar e renovar conexões entre essas partes.

O neurocientista Christian Ruff e seus colegas estudaram os mecanismos neurobiológicos da honestidade.[2] Em um experimento, convidaram 145 participantes para jogar um jogo em que rolavam um dado a dinheiro, usando uma interface de computador. Antes de cada jogada, uma tela do computador indicava que resultados produziriam o ganho monetário, até 90 francos suíços (cerca de 100 dólares).

Diferentemente de jogar em um cassino, os participantes poderiam mentir sobre os resultados da jogada de dados para aumentar seus ganhos. Os pesquisadores conseguiam determinar o grau de fraude, comparando a porcentagem média do relatado sucesso dos jogos de dados com os 50% de referência, implícitos num relato totalmente honesto. Como era de se esperar, os participantes mentiram com frequência. Comparados com a referência de honestidade de 50%, os participantes relataram que 68% das suas jogadas de dados tiveram o resultado desejado.

Então, os pesquisadores usaram eletricidade para realçar a excitabilidade neuronal no córtex pré-frontal dos participantes, usando uma ferramenta chamada estimulação transcraniana por corrente direta (tDCS). O córtex pré-frontal é a parte do nosso cérebro mais à frente, logo atrás da testa, e está envolvido na tomada de decisões, regulação emocional e planejamento futuro, entre muitos outros processos complexos. É também uma área fundamental associada à narrativa.

Os pesquisadores descobriram que as mentiras se reduziam pela metade quando a excitabilidade neural no córtex pré-frontal aumentava. Além disso, o aumento de honestidade "não podia ser explicado por mudanças de autointeresse material ou convicções morais e estava dissociado da impulsividade dos participantes, da sua disposição de correr riscos e do humor".

Eles concluíram que a honestidade pode ser reforçada com o estímulo do córtex pré-frontal, consistente com a ideia de que o "cérebro humano tem mecanismos desenvolvidos dedicados a controlar comportamentos sociais complexos".

Esse experimento levou-me a especular se a prática da honestidade pode estimular a ativação cortical pré-frontal. Mandei um email a Christian Ruff, na Suíça, para perguntar o que ele achava dessa ideia.

"Se o estímulo do córtex pré-frontal leva as pessoas a serem mais honestas, é também possível que ser mais honesto estimule o córtex pré-frontal? A prática de dizer a verdade poderia reforçar a atividade e a excitabilidade nas partes do cérebro que usamos para planejamento futuro, regulação de emoção e gratificação adiada?", perguntei.

Ele respondeu: "Sua pergunta faz sentido. Não tenho uma resposta definitiva para ela, mas compartilho sua intuição de que um processo neural dedicado (como o processo pré-frontal envolvido em honestidade) deveria ser reforçado com o uso repetitivo. É isso que acontece durante a maioria dos tipos de aprendizagem, segundo o antigo mantra de Donald Hebb: '*what fires together wires together*'*".

Gostei dessa resposta por sugerir que a prática da honestidade radical pode reforçar circuitos neurais específicos, da mesma maneira que aprender uma segunda língua, tocar piano ou dominar sudoku reforça outros circuitos.

Consistente com a experiência vivida por pessoas em recuperação, contar a verdade pode mudar o cérebro, permitindo-nos estar mais atentos a nossa balança prazer-sofrimento e aos processos mentais que dirigem nosso hiperconsumo compulsivo, e assim mudar nosso comportamento.

---

* Em português literal: "O que é disparado ao mesmo tempo fica conectado". No caso da frase de Hebb, a interpretação seria: "Se dois ou mais neurônios são ativados ao mesmo tempo, as sinapses entre esses neurônios ficam reforçadas". (N. T.)

O próprio aflorar da conscientização do meu problema com romances baratos ocorreu em 2011, quando eu ensinava a um grupo de residentes em psiquiatria na San Mateo como conversar com pacientes sobre comportamentos dependentes. A ironia não me passa despercebida.

Eu estava numa sala de aula do primeiro andar do Centro Médico San Mateo, fazendo uma preleção para nove psiquiatras residentes, sobre como estabelecer uma conversa, geralmente difícil, com pacientes a respeito do consumo de drogas e álcool. Interrompi parcialmente a palestra para convidar os alunos a participar de um exercício de aprendizagem:

– Escolham um colega para discutir um hábito que vocês queiram mudar e discutam alguns passos que poderiam tomar para fazer essa mudança.

Exemplos comuns do que os estudantes falam nesse exercício incluem: "Quero fazer mais exercícios", ou "Quero comer menos açúcar". Em outras palavras, tópicos mais seguros. Dependências sérias, se eles as têm, normalmente não são mencionadas. Ainda assim, falando sobre qualquer comportamento com o qual não estão satisfeitos e que querem mudar, os alunos conseguem vislumbrar como seria conversar com os pacientes a esse respeito, na qualidade de profissionais de saúde. Também sempre existe a chance de, no processo, eles descobrirem algo sobre si mesmos.

Percebi que, com um número ímpar de estudantes, eu teria que fazer dupla com um deles. Juntei-me a um rapaz de voz suave, cuidadoso, que estivera escutando atentamente toda a palestra. Assumi o papel de paciente, para que ele pudesse praticar suas habilidades. Depois, inverteríamos.

Ele me perguntou que comportamento eu queria mudar. Sua atitude delicada predispunha uma revelação. Para minha surpresa, comecei a lhe contar uma versão abrandada da minha leitura de romances até tarde da noite. Não especifiquei o que estava lendo, nem a extensão do problema:

– Fico acordada até muito tarde à noite, lendo, e está interferindo no meu sono. Gostaria de mudar – falei.

Eu sabia que era tudo verdade, tanto o fato de ficar acordada até muito tarde lendo, quanto a vontade de mudar esse comportamento. Mas, até aquele momento, eu não estava, de fato, ciente de nenhuma dessas coisas.

– Por que você quer mudar isso? – ele perguntou, usando uma pergunta padrão da entrevista motivacional, uma abordagem terapêutica desenvolvida pelos psicólogos clínicos William R. Miller e Stephen Rollnick para explorar motivações internas e determinar ambivalência.

– Está interferindo na minha capacidade de ser eficiente como eu gostaria, no trabalho e com meus filhos.

– Parecem ser boas razões – ele assentiu.

Ele estava certo. Eram boas razões. Ao dizê-las em voz alta, percebi, pela primeira vez, o quanto meu comportamento estava impactando negativamente a minha vida e a das pessoas de quem eu gostava. Ele então perguntou:

– Do que você estaria abrindo mão, se desse um fim a esse comportamento?

– Eu abriria mão do prazer que sinto lendo. Adoro a fuga – respondi na mesma hora. – Mas essa sensação não é tão importante para mim quanto a minha família e o meu trabalho.

Novamente, ao dizer em voz alta, percebi que era verdade: valorizo a minha família e o meu trabalho acima do meu próprio prazer, e para viver segundo os meus valores, precisava parar a leitura compulsiva e escapista.

– Que passo você pode dar para mudar esse comportamento?

– Posso me livrar do meu leitor eletrônico. O acesso fácil a leituras baratas abastece essas leituras até tarde da noite.

– Parece uma boa ideia – ele disse e sorriu. Tínhamos terminado minha vez de ser a paciente.

No dia seguinte, fiquei pensando sobre nossa conversa. Decidi dar uma pausa nos romances baratos até o mês seguinte. A primeira coisa que fiz foi me livrar do meu e-reader. Nas primeiras duas semanas, passei por uma abstinência de baixo impacto, incluindo ansiedade e insônia, especialmente à noite, pouco antes de ir para a cama, hora em que eu costumava ler as histórias. Tinha perdido a arte de adormecer por conta própria.

No final do mês, sentia-me melhor, e me permiti voltar a ler um romance, planejando ler com mais moderação.

Em vez disto, acabei me esbaldando com literatura erótica, ficando acordada até tarde durante duas noites seguidas, me sentindo exausta nos dias seguintes. Mas agora eu via meu comportamento como ele realmente era, um padrão compulsivo e autodestrutivo que tirou o prazer da coisa em si. Senti uma determinação crescente de parar com aquele comportamento para sempre. Meu sonho acordada estava chegando a um fim.

▶ A honestidade favorece conexões humanas íntimas

Dizer a verdade atrai as pessoas, especialmente quando nos vemos dispostos a expor nossas vulnerabilidades. Isto é contraintuitivo porque presumimos que, expondo nossos aspectos menos desejáveis, afastaremos as pessoas. Logicamente faz sentido que as pessoas se distanciassem ao saber das falhas e transgressões do nosso caráter.

Na verdade, acontece o oposto. As pessoas se aproximam. Em nossa desconstrução, elas veem sua própria vulnerabilidade e humanidade; asseguram-se de que não estão sós em suas dúvidas, seus medos e suas fraquezas.

Jacob e eu voltamos a nos encontrar de tempos em tempos nos meses e anos que se seguiram à sua recaída na masturbação compulsiva. Naquela época, ele continuou a se abster dos comportamentos adictivos. A prática da honestidade radical, sobretudo com sua esposa, foi o alicerce da sua contínua recuperação. Em um dos nossos encontros, ele compartilhou uma história que aconteceu logo depois de ele e a esposa voltarem a morar juntos.

Ela estava saindo do banheiro, um dia depois de estar de volta à casa deles, quando notou que faltava uma das argolas da cortina do banheiro. Perguntou a Jacob se ele sabia o que tinha acontecido.

– Gelei – Jacob me contou. – Sei perfeitamente o que aconteceu com a argola, mas não *querer* contar. *Ter* muitas boas razões. Foi há muito tempo. Ela *ficar* nervosa se eu contar. Agora está tudo ótimo entre nós. Isso vai bagunçar.

Mas então se lembrou do quanto mentir e dissimular tinha sido corrosivo para o relacionamento deles. Antes de ela voltar para casa, ele prometera ser honesto, custasse o que custasse.

– Então eu digo: "Usei para construir uma das minhas máquinas, quase um ano atrás, depois que você foi embora. Não é nada recente. Mas prometi ser honesto com você, então estou contando".

– E ela? – perguntei.

– Achei que ela *vai* dizer que chega, que está indo embora de novo. Mas em vez disso, ela não grita comigo. Não vai embora. Coloca a mão no meu ombro e diz: "Obrigada por me dizer a verdade". E depois me abraça.

***

A intimidade é em si uma fonte de dopamina. A oxitocina, um hormônio muito envolvido com o ato de se apaixonar, com o vínculo entre mãe e filho e a união monogâmica de vida inteira de parceiros sexuais, conecta-se a receptores nos neurônios secretores de dopamina no circuito de recompensa do cérebro e aumenta a descarga do trato do circuito de recompensa. Em outras palavras, a oxitocina leva a um aumento da dopamina no cérebro, uma descoberta recente feita pelos neurocientistas de Stanford Lin Hung, Rob Malenka e seus colegas.[3]

Depois de sua revelação honesta para a esposa, que demonstrou carinho e empatia, é provável que Jacob tenha experimentado um pico de oxitocina e dopamina em seu circuito de recompensa, encorajando-o a repetir aquilo.

Enquanto contar a verdade favorece um vínculo humano, o hiperconsumo compulsivo de produtos ricos em dopamina é a antítese desse vínculo. Consumir leva ao isolamento e à indiferença, uma vez que a droga vem substituir a gratificação obtida no relacionamento com os outros.

Experimentos demonstram que um rato livre trabalhará instintivamente para libertar outro rato preso dentro de uma garrafa plástica.[4] Mas uma vez que o rato livre possa se autoadministrar heroína, ele perde o interesse em ajudar o rato preso, presumivelmente envolvido demais numa bruma opioide para se importar com um colega da sua espécie.

Qualquer comportamento que leve a um aumento de dopamina tem o potencial para ser explorado. Estou me referindo a um tipo de "divulgação pornô", que se tornou prevalente na cultura moderna, em que a revelação de aspectos íntimos da nossa vida passa a ser uma maneira de manipular outras pessoas para certo tipo de gratificação egoísta, em vez de incentivar intimidade em um momento de humanidade comum.

Em uma conferência médica sobre adicção, em 2018, sentei-me ao lado de um homem que disse que estava havia um bom tempo em recuperação de dependência. Estava ali para contar para a plateia a história dessa recuperação. Pouco antes de subir ao palco, ele se virou para mim e disse: "Prepare-se para chorar". Fiquei desconcertada com o comentário. Incomodou-me o fato de ele antecipar como eu reagiria a sua história.

De fato, ele contou uma história angustiante sobre dependência e recuperação, mas não fui às lágrimas, o que me surpreendeu, porque em geral fico profundamente comovida com histórias de sofrimento e redenção. Nesse caso, a história dele pareceu falsa por mais que fosse factualmente correta. As palavras não correspondiam às emoções encobertas por elas. Em vez de sentir que ele estava nos concedendo acesso privilegiado a uma época dolorosa da sua vida, parecia que ele estava ostentando e manipulando essa dor. Talvez seja porque ele já tinha contado aquilo muitas vezes. Com a repetição, a história pode ter ficado rançosa. Seja qual for o motivo, ela não me estimulou.

Existe um fenômeno bem conhecido nos grupos de AA dos Estados Unidos chamado "*drunkalogues*"*, referindo-se a façanhas realizadas sob o efeito do álcool que são compartilhadas apenas para entreter e se exibir, e não para ensinar e aprender. Os *drunkalogues* tendem a provocar desejo, e não a promover recuperação. A linha entre uma confissão honesta e um *drunkalogue* manipulador é tênue, incluindo diferenças sutis de conteúdo, tom, cadência e emoção, mas você percebe quando vê.

Espero que as confissões partilhadas aqui, tanto as minhas próprias quanto as que meus pacientes deram permissão para relatar, nunca se desviem para o lado errado dessa linha.

▶ Autobiografias sinceras criam responsabilização

Verdades simples e individuais sobre nossa vida diária são como elos em uma corrente que forma narrativas autobiográficas verídicas. As narrativas autobiográficas são um parâmetro essencial do tempo vivido. As histórias que contamos sobre nossa vida não apenas servem de medida do nosso passado, mas também podem moldar o comportamento futuro.

Em mais de vinte anos como psiquiatra, ouvindo dezenas de milhares de histórias de pacientes, fiquei convencida de que a

---

* No AA brasileiro, uma expressão que corresponda a esta, poderia ser "passar o pano", quando o frequentador está ali apenas socialmente, para espantar a solidão, e não exatamente para se recuperar. Outra, não inerente ao AA, mas também usada por eles, seria "conversa de botequim", algo que não leva a nada. (N. T.)

maneira como contamos nossas histórias pessoais é um sinalizador e um indicador de saúde mental.

Pacientes que contam histórias em que, na maioria das vezes, são a vítima e quase nunca assumem a responsabilidade por resultados nocivos com frequência não estão bem e permanecem assim. Estão concentrados demais em culpar os outros para ir direto ao assunto da sua própria recuperação. Por outro lado, quando meus pacientes começam a contar histórias que retratam em detalhes sua responsabilidade, sei que estão melhorando.

A narrativa da vítima reflete uma tendência social mais ampla em que estamos inclinados a nos ver como vítima das circunstâncias, merecendo compensação ou recompensa por nosso sofrimento. Mesmo quando as pessoas foram vitimadas, se a narrativa nunca for além da vitimização, é difícil haver cura.

Uma das funções da boa psicoterapia é ajudar as pessoas a contar histórias de recuperação. Se a narrativa autobiográfica fosse um rio, a psicoterapia seria o meio pelo qual esse rio é mapeado e, em alguns casos, redirecionado.

Histórias de recuperação estão ligadas aos acontecimentos da vida real. Procurar e descobrir a verdade, ou chegar o mais próximo possível disso com os dados disponíveis, proporciona a oportunidade para uma verdadeira revelação e compreensão, o que, por sua vez, nos permite fazer escolhas mais bem fundamentadas.

Como já citei, a prática moderna da psicoterapia às vezes não alcança esse objetivo ambicioso. Como profissionais da saúde mental, nós ficamos tão ocupados na prática da empatia, que perdemos de vista o fato de que a empatia sem responsabilização é uma tentativa acanhada de aliviar sofrimento. Se o terapeuta e o paciente recriam uma história em que o paciente é a eterna vítima de forças além do seu controle, existe uma boa chance de que ele continue vitimado.

Mas se o terapeuta puder ajudar o paciente a assumir responsabilidade, se não pelo próprio acontecimento, então por como reage ao evento no aqui e agora, esse paciente está empoderado para seguir em frente com sua vida.

Fiquei profundamente impressionada com a filosofia e os ensinamentos do AA nesse aspecto.[5] Um dos seus lemas preponderantes, com frequência impresso em letras destacadas em seus folhetos, é "Sou responsável".

Além da responsabilidade, os Alcóolicos Anônimos enfatizam a "honestidade rigorosa" como um preceito central da sua filosofia, e essas ideias caminham juntas. O quarto passo do AA exige que os membros façam um "inventário moral minucioso e corajoso", em que o indivíduo pondera sobre seus defeitos de caráter e como eles contribuem para o problema. O quinto passo é o "passo da confissão", quando os membros do AA "admitem para Deus, para nós mesmos e para outro ser humano a natureza exata do nosso erro". Essa prática direta e essa abordagem sistemática podem ter um impacto poderoso e transformador.

Pessoalmente, vivenciei isto nos meus 30 anos, durante minha residência em psiquiatria em Stanford.

Meu supervisor e mentor em psicoterapia, aquele que usava chapéu fedora, mencionado logo no começo do livro, sugeriu que eu tentasse os 12 Passos como uma maneira de trabalhar meus ressentimentos em relação a minha mãe. Ele percebeu, bem antes de mim, que estava me agarrando à minha raiva de maneira adictiva e ruminativa. Eu passara anos na psicoterapia, tentando entender meu relacionamento com ela, e o resultado apenas pareceu ter insuflado minha raiva, por ela não ser a mãe que eu queria que fosse, a mae que eu achava de que precisava.

Em um ato de generosa autorrevelação, meu supervisor contou que havia décadas estava em recuperação de uma dependência alcoólica, e que o AA e os 12 Passos tinham-no ajudado nisso. Embora meu problema não fosse de dependência propriamente dita, ele teve uma sensação instintiva de que os 12 Passos me ajudariam e concordou em me acompanhar nisso.

Trabalhei os passos com ele, e a experiência foi, de fato, transformadora, especialmente os passos 4 e 5. Pela primeira vez na vida, em vez de focar nos aspectos em que, a meu ver, minha mãe tinha falhado comigo, refleti sobre no que eu havia contribuído para tensionar a nossa relação. Concentrei-me em interações recentes, e não em acontecimentos da infância, uma vez que minha responsabilidade quando criança era menor.

No começo foi difícil enxergar em que aspectos eu teria contribuído para o problema. Eu me via, sinceramente, como a vítima indefesa em todos os sentidos. Estava fixada na relutância dela em me visitar em casa, ou cultivar um relacionamento com meu marido e meus filhos, em contraste com sua relação mais próxima com meus irmãos e os filhos deles. Eu me ressentia do que considerava sua incapacidade de me aceitar como sou, e a sensação de que ela queria que eu fosse uma pessoa diferente, mais calorosa, mais flexível, mais despretensiosa, menos autossuficiente, mais divertida.

Mas, então, comecei a enfrentar o doloroso processo de anotar – sim, anotar no papel e assim fazer a coisa ficar de fato muito real – meus defeitos de caráter e a maneira como eles haviam contribuído para nossa relação tensa. Como disse Ésquilo, "Precisamos sofrer, a verdade exige sofrimento".

A verdade é: sou ansiosa e medrosa, embora sejam poucos os que imaginariam isto de mim. Mantenho um cronograma rígido, uma rotina previsível e uma fidelidade servil à minha lista de obrigações, como um jeito de lidar com a minha ansiedade. Isso significa que os outros constantemente são forçados a se curvar à minha vontade e às exigências dos meus objetivos.

A maternidade, embora seja a experiência mais gratificante da minha vida, também tem sido a maior causa de ansiedade. Sendo assim, minhas defesas e maneiras de lidar atingiram novos patamares quando meus filhos eram pequenos. Olhando em retrospecto, percebi que, naquela época, não poderia ter sido agradável para ninguém visitar a nossa casa, incluindo a minha própria mãe. Eu era linha-dura na administração doméstica, e ficava muito ansiosa quando percebia coisas desorganizadas. Trabalhava sem parar, tendo pouco ou nenhum tempo para mim mesma, amigos, família ou para me divertir. A verdade é que eu não era muito divertida naquele tempo, a não ser, espero, com os meus filhos.

Quanto ao meu ressentimento em relação a minha mãe, por ela querer que eu fosse diferente do que sou, percebi, com uma clareza súbita e chocante, que eu era culpada da mesma coisa em relação a ela. Recusava-me a aceitá-la como ela era, querendo, em vez disso, que fosse um tipo de Madre Teresa, que desceria sobre a nossa casa e cuidaria de todos nós, inclusive do meu marido e dos meus filhos, exatamente da maneira que precisávamos ser cuidados.

Ao pleitear que ela vivesse de acordo com a visão idealizada do que eu achava que uma mãe e uma avó deveriam ser, só conseguia ver as falhas dela, e nenhuma de suas boas qualidades, que são muitas. Ela é uma artista talentosa, é encantadora, pode ser divertida e cômica. Tem um coração bom e uma natureza generosa, desde que não se sinta julgada ou abandonada.

Depois de trabalhar os passos, consegui ver a verdade disso com mais clareza, e assim meu ressentimento sumiu. Fiquei livre do fardo pesado da minha raiva em relação a minha mãe. Que alívio!

Minha própria cura contribuiu para melhorar meu relacionamento com ela. Fiquei menos exigente, mais indulgente e menos crítica em relação a ela. Também tomei consciência das muitas coisas positivas resultantes do nosso atrito, a saber, que sou resiliente e autossuficiente em aspectos que eu poderia não ser se nós duas fôssemos mais compatíveis.

Agora, em todos meus relacionamentos, continuo tentando praticar dizer a verdade. Nem sempre sou bem-sucedida, e instintivamente tento pôr a culpa nos outros, mas quando estou disciplinada e diligente, percebo que também sou responsável. Quando consigo chegar a esse ponto e recontar a versão verdadeira para mim mesma e para outros, tenho uma sensação de justiça e correção que dá ao mundo a ordem pela qual anseio.

Uma narrativa autobiográfica verdadeira, além disso, permite que sejamos mais autênticos, espontâneos e livres naquele momento.

O psicanalista Donald Winnicott apresentou o conceito do "falso self" na década de 1960.[6] Segundo ele, o falso self é uma persona autoconstruída em defesa contra exigências e estressores externos intoleráveis. Winnicott postulou que a criação do falso self pode levar a sentimentos de um profundo vazio. Um eu impalpável.

A mídia social contribuiu para o problema do falso self ao tornar muito mais fácil para nós, e até nos incentivando, a seleção de narrativas da nossa vida que estão longe da realidade.

Em sua vida online, meu paciente Tony, um rapaz na faixa dos 20 anos, corria toda manhã para aproveitar o nascer do sol, passava o dia entretido em atividades artísticas construtivas e ambiciosas e era ganhador de inúmeros prêmios. Na vida real, ele mal conseguia se levantar da cama, olhava pornografia online compulsivamente, lutava para encontrar um trabalho remunerado, era solitário, deprimido e suicida. Pouco da sua vida cotidiana real transparecia na página do Facebook.

Quando nossa experiência vivida diverge da nossa imagem projetada, estamos propensos a nos sentir descolados e irreais, tão falsos quanto as imagens falsas que criamos. Os psiquiatras chamam essa sensação de *desrealização* e *despersonalização*. É uma sensação apavorante, que normalmente contribui para ideias de suicídio. Afinal de contas, se não nos sentimos reais, dar fim à vida parece inconsequente.

O antídoto para esse falso self é o verdadeiro self. A honestidade radical é uma maneira de chegar a isso. Ela nos amarra a nossa existência e faz com que nos sintamos reais no mundo. Ela também diminui a carga cognitiva exigida para a manutenção de todas aquelas mentiras, liberando energia mental para viver o momento com mais espontaneidade.

Quando não estamos mais trabalhando para apresentar um falso self, ficamos mais abertos para nós mesmos e para os outros. Como o psiquiatra Mark Epstein escreveu em seu livro *Going on*

Being [A caminho de ser], sobre sua própria jornada para a autenticidade: "Sem mais me esforçar para manipular meu meio, comecei a me sentir revigorado, a encontrar um equilíbrio, a me permitir uma sensação de vínculo com a espontaneidade do mundo natural, e com minha própria natureza interior".[7]

▸ Dizer a verdade é contagioso... mentir também

Em 2013, minha paciente Maria estava no auge do seu problema com bebida. Frequentemente ia parar no pronto-atendimento local com um nível de álcool no sangue quatro vezes acima do limite legal. Diego, seu marido, tinha assumido o peso de cuidar dela.

Enquanto isto, ele lutava com sua própria dependência de comida. Com 1,55 metro de altura, pesava 152 quilos. Só quando Maria parou de beber foi que Diego ficou motivado para enfrentar sua dependência de comida.

– Ver Maria entrar em recuperação, me motivou a fazer mudanças em minha própria vida – ele disse. – Quando ela bebia, eu me safava de muita coisa. Sabia que estava enveredando para uma situação ruim. Não me sentia seguro no meu próprio corpo. Mas foi ela ficar sóbria que me fez agir. Sentia que ela ia se sair bem, e não queria ficar para trás.

"Então, arrumei um Fitbit*, comecei a frequentar a academia, a contar calorias... Só de contar as calorias, percebi o quanto estava comendo. Então, comecei uma dieta cetogênica e um jejum intermitente. Não me permitia comer tarde da noite, nem de manhã até ter me exercitado. Corri. Levantei peso. Percebi que a fome é uma informação que posso ignorar. Neste ano [2019], estou pesando 88 quilos. Pela primeira vez em muito tempo, minha pressão está normal."

---

* Aparelho a ser usado no pulso, que além de funcionar como relógio, monitora seus exercícios físicos, os batimentos cardíacos etc. (N. T.)

Na minha prática médica, vejo com frequência um membro de uma família entrar em recuperação de alguma dependência, seguido rapidamente por outro membro da família que faz a mesma coisa. Vi maridos que param de beber seguidos por esposas que param de ter casos; vi pais que param de fumar, seguidos por filhos que fazem o mesmo.

Mencionei o experimento de marshmallow de Stanford, de 1968, que estudou a capacidade de crianças de 3 a 6 anos de adiar gratificação. Elas eram deixadas sozinhas numa sala vazia, com um marshmallow em um prato, e lhes diziam que, se conseguissem passar quinze minutos sem comer o marshmallow, ganhariam aquele e mais um. Ou seja, receberiam a recompensa em dobro se, simplesmente, esperassem por ela.

Em 2012, pesquisadores da Universidade de Rochester, no estado de Nova York, alteraram o experimento de 1968 de Stanford em um aspecto crucial.[8] Antes de começar o teste do marshmallow, os pesquisadores saíram da sala e disseram que voltariam quando a criança tocasse a campainha, mas não voltaram. A mesma coisa foi dita a outro grupo de crianças, e, quando a campainha foi tocada, o pesquisador voltou.

As crianças do último grupo, em que o pesquisador voltou, mostraram-se quatro vezes mais dispostas (vinte minutos) a esperar por um segundo marshmallow do que as crianças do grupo em que a promessa foi quebrada.

Como podemos entender por que o fato de Maria entrar em recuperação da dependência alcoólica inspirou Diego a enfrentar o problema com comida; ou por que, quando os adultos mantêm sua promessa às crianças, elas são mais capazes de controlar seus impulsos?

A meu ver, trata-se do que chamo de *mentalidade de fartura* versus *mentalidade de escassez*. Contar a verdade gera uma mentalidade de fartura. Mentir gera uma mentalidade de escassez. Vou explicar.

Quando as pessoas à nossa volta são confiáveis e dizem a verdade, inclusive mantendo as promessas que fazem, sentimo-nos mais confiantes em relação ao mundo e ao nosso próprio futuro. Sentimos que podemos não apenas contar com elas, mas também com que o mundo seja um lugar organizado, previsível e seguro. Até em meio à escassez, sentimo-nos confiantes de que as coisas terminarão bem. Esta é uma mentalidade de fartura.

Quando as pessoas à nossa volta mentem e não mantêm suas promessas, sentimo-nos menos confiantes em relação ao futuro. O mundo passa a ser um lugar perigoso, onde não se pode contar que seja organizado, previsível ou seguro. Entramos em modo competitivo de sobrevivência e privilegiamos ganhos a curto prazo aos de longo prazo, independentemente da verdadeira riqueza material. Esta é uma mentalidade de escassez.

Um experimento feito pelo neurocientista Warren Bickel e seus colegas focou no impacto da tendência dos participantes no estudo em adiar a gratificação em troca de uma recompensa monetária, depois de terem lido uma passagem narrativa que projetava um estado de fartura versus um estado de escassez.[9]

A narrativa de fartura dizia: "Você foi promovido no seu trabalho. Você terá oportunidade de se mudar para uma cidade onde sempre quis viver OU pode escolher ficar onde está. De qualquer modo, a empresa lhe dará uma grande soma de dinheiro para cobrir as despesas com mudança, e você pode ficar com o que não gastar. Você vai ganhar 100% a mais do que ganhava".

A narrativa de escassez dizia: "Você acabou de ser despedido. Agora terá que ir morar com um parente que vive em uma cidade de que você não gosta e terá que gastar todas as suas economias para se mudar para lá. Você não tem direito a seguro-desemprego, portanto, não receberá nada até achar outro emprego".

Os pesquisadores descobriram, o que não foi surpresa, que os participantes que leram a narrativa de escassez estavam menos dispostos a esperar por um pagamento no futuro distante e mais propensos a querer a recompensa de imediato. Os que leram a narrativa de fartura estavam mais dispostos a esperar por sua recompensa.

Faz um sentido intuitivo que, quando os recursos são escassos, as pessoas estejam mais interessadas em ganhos imediatos e menos confiantes de que aquelas recompensas ainda estarão acessíveis em algum futuro distante.

A questão é: por que pessoas que vivem em países ricos, com recursos materiais abundantes, ainda assim operam em sua vida cotidiana com uma mentalidade de escassez?

Como vimos, ter excesso de riqueza material pode ser tão ruim quanto a falta dela. A sobrecarga de dopamina prejudica nossa capacidade de adiar gratificação. O exagero da mídia social e a política da pós-verdade (vamos dar nome aos bois: mentira) amplifica nossa sensação de escassez. O resultado é que, mesmo em meio à fartura, sentimo-nos empobrecidos.

Assim como é possível ter uma mentalidade de escassez em meio à fartura, também é possível ter uma mentalidade de fartura em meio à escassez. A sensação de plenitude tem origem além do mundo material. Acreditar em, ou trabalhar para, alguma coisa fora de nós mesmos, e adotar uma vida rica em relações humanas e significado, pode funcionar como um agregador social, dando-nos uma mentalidade de fartura até em meio à pobreza abjeta. Encontrar conectividade e sentido exige honestidade radical.

Contar a verdade como prevenção

— Primeiro, deixe-me explicar minha função — falei a Drake, um médico que nosso comitê profissional de bem-estar tinha me pedido para avaliar. — Estou aqui para determinar se você pode ter uma doença mental que impacte negativamente sua capacidade para exercer a medicina e se são necessárias algumas adaptações razoáveis para que você exerça seu trabalho. Mas espero que você também me veja como um recurso além da avaliação de hoje, caso precise de tratamento de saúde mental ou um apoio emocional mais abrangente.

— Obrigado por isso — ele disse, parecendo relaxado.

— Consta que você foi pego na lei seca?

Nos Estados Unidos, dirigir embriagado é uma infração penal. Para os motoristas com 21 anos ou mais, dirigir com uma concentração de álcool no sangue de 0,08% ou mais é ilegal.[*]

— Sim, mais de dez anos atrás, quando eu estava na faculdade de medicina.

— Hum. Não entendo. Por que está me procurando agora? Normalmente, sou chamada para avaliar médicos atuantes logo depois de receberem uma multa dessas.

— Sou novo no corpo docente daqui. Declarei esse fato na minha inscrição. Acho que eles [o comitê do bem-estar] só queriam ter certeza de que está tudo bem.

— Acho que faz sentido — concordei. — Bom, conte-me a sua história.

Em 2007, Drake estava no primeiro semestre do seu primeiro ano na faculdade de medicina. Ele tinha ido para a Costa Leste, oriundo da Califórina, trocando as planícies ensolaradas da costa do Pacífico pelas suaves colinas embebidas de cor da Nova Inglaterra, em toda a glória outonal.

Decidira tardiamente pela medicina, algum tempo depois de terminar seus estudos preliminares na Califórnia, onde tinha se formado, na prática, em surf, e passado um semestre morando no bosque atrás do campus, "escrevendo poesia ruim".

---

[*] No Brasil, dirigir embriagado é crime passível de detenção de seis meses a três anos, multa e proibição de dirigir. (N. E.)

Depois do primeiro exame, alguns colegas de faculdade deram uma festa na casa que tinham no campo. O plano era um amigo dirigir, mas no último minuto o amigo teve um problema com o carro, e Drake acabou dirigindo.

— Eu me lembro que era um lindo dia de começo de outono, em setembro. A casa ficava numa estrada rural, não longe de onde eu morava.

A festa acabou se revelando mais divertida do que Drake esperava. Era a primeira vez que ele se descontraía, desde que estava na faculdade de medicina. Começou bebendo algumas cervejas, depois passou para o uísque. Às 23h30, quando os policiais chegaram por causa da reclamação de barulho feita por um vizinho, Drake estava bêbado. Seu amigo também.

— Meu amigo e eu percebemos que estávamos bêbados demais para dirigir. Então, ficamos na casa. Eu dormi. Os policiais e a maioria dos outros convidados foram embora. Achei um sofá e tentei curar a bebedeira. Às 2h30, me levantei. Ainda estava um pouco bêbado, mas não me senti alterado. Era uma linha reta por uma estrada rural vazia até a minha casa. De três a cinco quilômetros no máximo. Arriscamos.

Assim que Drake e o amigo entraram na estrada rural, viram um carro de polícia esperando no acostamento. A polícia foi atrás deles e começou a segui-los, como se tivessem esperado por eles o tempo todo. Eles chegaram a um cruzamento onde havia um semáforo pendurado em um fio. Ventava e ele se agitava e girava no vento.

— Achei que estivesse amarelo para mim e vermelho para os outros, mas era difícil dizer com o semáforo balançando daquele jeito. Além disso, eu estava nervoso com a polícia bem atrás de mim. Passei pelo cruzamento devagar, e nada aconteceu, então imaginei que estivesse certo quanto à luz amarela e continuei indo. Só mais um cruzamento e uma virada à esquerda para a minha casa. Virei, mas me esqueci de dar sinal, e foi quando o policial me mandou parar.

O policial era jovem, mais ou menos da mesma idade de Drake.

– Ele parecia novo na função, quase como se sentisse mal por me parar, mas tinha que fazer isto.

Ele fez um teste de sobriedade em Drake e um de bafômetro. Ele soprou 0,10%, pouco acima do limite legal. O policial levou Drake para a delegacia, onde ele preencheu uma papelada e soube que sua licença estava temporariamente suspensa por dirigir alcoolizado. Alguém da delegacia levou-o para casa.

– No dia seguinte, me lembrei da história de um amigo de infância que tinha sido pego na lei seca durante sua residência em medicina de emergência. Era uma pessoa que eu respeitava muito. Tinha sido nosso presidente de classe. Liguei para ele.

"Faça o que fizer", meu amigo me disse quando falei com ele, "você não pode ficar com isso no seu prontuário, principalmente como médico. Arranje um advogado imediatamente, e ele vai arrumar um jeito de transformar em condução perigosa ou de anulá-la completamente. Foi o que fiz."

Drake arrumou um advogado local e pagou-lhe 5 mil dólares adiantados, dinheiro retirado do empréstimo estudantil. O advogado disse a ele: "Eles vão marcar uma audiência para você. Vista-se bem. Seja simpático. O juiz vai perguntar como você se declara, e você vai dizer '*Não culpado*'. É só. Você só tem que fazer isto. Duas palavras. '*Não culpado*.' A gente partirá daí".

No dia da sua audiência, Drake vestiu-se bem, como lhe havia sido dito. Ele morava a algumas quadras do fórum e, enquanto ia para lá, começou a pensar. Pensou no primo em Nevada, que estava dirigindo bêbado e bateu de frente com uma menina de 18 anos que vinha em sentido contrário. Os dois morreram. Pessoas que viram seu primo pouco antes num bar disseram que ele bebia como se quisesse morrer.

– No fórum, vi um monte de outros homens mais ou menos da minha idade. Pareciam menos privilegiados do que eu. Fiquei pensando que, provavelmente, eles não tinham um advogado como eu. Comecei a me sentir um pouco sórdido.

Depois de entrar no fórum, esperando ser chamado, Drake ficou revendo o plano em sua cabeça, exatamente como o advogado havia dito: *O juiz vai perguntar como você se declara, e você vai dizer "Não culpado". É só. Você só tem que fazer isto. Duas palavras. "Não culpado."*

O juiz chamou Drake ao banco das testemunhas. Drake sentou-se no banco duro de madeira, logo abaixo e à direita do banco do juiz. Pediram-lhe para erguer a mão direita e prometer dizer a verdade. Ele prometeu.

Ele olhou para as pessoas na sala. Olhou para o juiz. O juiz virou-se para ele e perguntou: "Como você se declara?".

Drake sabia o que deveria dizer. Planejava dizer. Duas palavras. *Não culpado*. As palavras estavam quase nos seus lábios. Muito perto.

– Mas aí comecei a pensar na época em que tinha 5 anos e pedi um sorvete para o meu pai, e ele disse que eu teria que esperar até depois do almoço. Eu retruquei: "Já almocei. Fui no vizinho, na casa do Michael, e ele me deu um cachorro-quente". Mas a verdade é que eu não tinha ido à casa de Michael. Ele e eu não éramos realmente amigos, e meu pai sabia. Bom, meu pai não perdeu tempo. Pegou o telefone na mesma hora e perguntou ao Michael: "Você deu um cachorro-quente pro Drake?". Aí meu pai me sentou, absolutamente calmo, e disse que era sempre pior mentir. Disse que mentir nunca valia as consequências. Aquele momento me causou uma baita impressão.

"O tempo todo eu estava planejando alegar 'não culpado', exatamente como o advogado havia me dito. Não é que eu tenha tomado outra decisão antes de ocupar o banco. Mas, no momento em que o juiz me perguntou, não consegui dizer as palavras. Simplesmente não deu. Eu sabia que era culpado, eu tinha dirigido depois de beber.

"'Culpado', eu disse. O juiz sobressaltou-se na cadeira, como se acordasse pela primeira vez naquela manhã. Girou a cabeça lentamente. Olhou para mim com os olhos semicerrados. 'Tem certeza de que é sua última alegação? Percebe as consequências? Porque você não pode voltar atrás.'"

– Nunca vou me esquecer da maneira como ele virou a cabeça e olhou para mim – Drake disse. – Achei meio esquisito ele estar me perguntando aquilo. Por um milésimo de segundo, fiquei na dúvida se estava cometendo um erro. Então, disse a ele que tinha certeza.

Depois disso, Drake ligou para o advogado e contou o que tinha acontecido. Ele ficou totalmente surpreso. "Respeito sua honestidade. Normalmente, não faço isto, mas vou te devolver os 5 mil dólares." E devolveu. Reembolso total.

Drake passou o ano seguinte frequentando aulas de reabilitação obrigatórias. As aulas eram em lugares distantes. Como ele não podia dirigir, tinha que pegar o ônibus, o que podia levar horas. Nos encontros obrigatórios, sentava-se em um círculo com pessoas com quem, normalmente, não teria relação, "pessoas muito diferentes daquelas com quem eu me relacionava na faculdade de medicina". As outras pessoas da classe, segundo sua lembrança, eram, em sua maioria, homens brancos mais velhos, com diversas infrações por embriaguez ao volante.

Depois de pagar mil dólares em multas e passar dez horas em aulas obrigatórias, Drake recebeu sua habilitação de volta. Acontece que isso foi só o começo.

Ele terminou a faculdade de medicina e se candidatou para residência, relatando a condenação em todas as suas inscrições. Quando solicitou sua licença médica para exercer a profissão, teve que fazer a mesma coisa. E novamente quando solicitou o certificado de especialidade. No final de tudo isso, quando assumiu uma residência na área da Baía de São Francisco, soube que nenhuma das aulas de reabilitação que ele fizera em Vermont eram válidas na Califórnia, então teve que fazer tudo de novo.

– Eu trabalhava todas aquelas horas, até de noite, depois corria do hospital para chegar àqueles encontros de ônibus. Se eu chegasse um minuto atrasado, tinha que pagar uma taxa. Houve um momento, então, em que me perguntei se teria sido melhor mentir. Mas agora, revendo, fico satisfeito por ter contado a verdade.

"Meus pais tinham problemas com bebida, quando eu era criança. Meu pai ainda tem. Ele pode passar semanas seguidas sem beber, mas, quando bebe, não é bom. Agora minha mãe está há dez anos em recuperação, mas o tempo todo da minha infância ela bebeu, embora eu não soubesse disso e nunca a visse bêbada. Mas mesmo com os problemas deles, meus pais eram bons em me fazer sentir que eu podia ser aberto e honesto com eles.

"Eles sempre pareciam ter amor e orgulho por mim, mesmo quando eu me comportava mal. Eles não eram condescendentes comigo. Nunca me deram dinheiro para pagar minhas taxas legais, por exemplo, embora tivessem algum guardado. Mas, ao mesmo tempo, eles nunca me julgaram. Acho que criaram um espaço acolhedor e seguro na minha infância e adolescência. Isso me permitiu ser aberto e honesto.

"Hoje em dia, eu raramente bebo. Tenho tendência a fazer coisas em excesso e gosto de correr riscos, então, com certeza, poderia ter me perdido por aí. Mas acho que dizer a verdade naquele momento crucial da minha vida deve ter me colocado em outro caminho. Talvez o fato de ser honesto ao longo dos anos tenha me ajudado a estar mais à vontade comigo mesmo. Não tenho segredos."

***

Dizer a verdade e sofrer consequências intensas pode ter mudado a trajetória da vida de Drake. Ele parecia ter essa impressão. O respeito agudo por honestidade, instilado nele pelo pai numa tenra idade, pareceu ter um impacto até maior do que sua considerável carga genética para adicção. A honestidade radical poderia ser uma medida preventiva?

A experiência de Drake não leva em conta o quanto a honestidade radical poderia dar para trás em um sistema corrupto e disfuncional, ou como os privilégios da sua raça e classe social contribuíram para sua capacidade de superar as consideráveis repercussões. Caso ele fosse pobre e/ou uma pessoa preta ou parda, o resultado poderia ser bem diferente.

Não obstante, sua história convenceu-me, como mãe, de que posso e devo enfatizar a honestidade como um valor fundamental na educação dos meus filhos.

Meus pacientes me ensinaram que a honestidade aumenta a conscientização, cria relacionamentos mais satisfatórios, nos torna responsáveis por uma narrativa mais autêntica e reforça nossa capacidade de adiar gratificação. E pode até impedir o desenvolvimento futuro de dependência.

Para mim, a honestidade é uma luta diária. Sempre tem uma parte minha que quer enfeitar a história nos mínimos detalhes, me fazer parecer melhor, ou arrumar uma desculpa para um mau comportamento. Agora, me empenho para combater essa vontade.

Embora difícil na prática, esta ferramentazinha acessível – dizer a verdade – está incrivelmente ao nosso alcance. Qualquer pessoa pode acordar num determinado dia e decidir: "Hoje não vou mentir sobre nada". E, ao fazer isso, não apenas mudar sua vida para melhor, como também mudar o mundo.

CAPÍTULO 9 ───────────────────────

Vergonha pró-social

EM SE TRATANDO DE HIPERCONSUMO COMPULSIVO, a vergonha é um conceito inerentemente ardiloso. Pode tanto ser o veículo de perpetuação do comportamento, bem como o ímpeto para interrompê-lo. Então, como conciliamos esse paradoxo?

Em primeiro lugar, vamos falar sobre o que é a vergonha.

Atualmente, a literatura psicológica identifica a vergonha como uma emoção distinta da culpa. A ideia é a seguinte: a vergonha faz a gente se sentir mal consigo mesmo como pessoa, ao passo que a culpa faz a gente se sentir mal por causa das nossas ações, preservando uma autoestima positiva. A vergonha é uma emoção inadequada. A culpa é uma emoção adequada.

Meu problema com a dicotomia vergonha-culpa é que, na prática, a vergonha e a culpa são idênticas. Do ponto de vista racional, compreendo a autodepreciação de "ser uma boa pessoa que fez uma coisa errada", mas, no momento em que sentimos vergonha-culpa – essa emoção em forma de soco no estômago –, a sensação é idêntica: arrependimento misturado com medo de punição e com o terror do abandono. O arrependimento surge quando a atitude é descoberta e pode ou não incluir arrependimento pelo ato em si. O terror do abandono, uma punição em si mesmo, é muito potente. É o terror do banimento, da rejeição, de não fazer mais parte do rebanho.

No entanto, a dicotomia vergonha-culpa tira proveito de algo real. Acredito que a diferença não está em como vivenciamos a emoção, mas em como os outros reagem à nossa transgressão.

Se os outros respondem nos rejeitando, condenando, ou afastando, entramos no ciclo do que chamo de *vergonha destrutiva*. A vergonha destrutiva aprofunda a experiência emocional da vergonha e nos leva a perpetuar o comportamento que originou a vergonha. No entanto, se os outros reagem com acolhimento e uma orientação clara para a redenção e/ou recuperação, entramos no ciclo da *vergonha pró-social*. A vergonha pró-social atenua a experiência emocional da vergonha e nos ajuda a interromper ou a reduzir o comportamento vergonhoso.

Com isso em mente, vamos falar primeiro sobre quando a vergonha dá errado (ou seja, vergonha destrutiva), como um prelúdio da conversa sobre quando a vergonha dá certo (ou seja, vergonha pró-social).

Vergonha destrutiva

Um dos meus colegas psiquiatras me disse uma vez: "Se não gostamos dos nossos pacientes, não podemos ajudá-los".

Assim que conheci Lori, não gostei dela.

Ela era toda executiva, louca para me dizer que estava ali só porque o clínico geral tinha mandado e que era totalmente desnecessário porque ela nunca tinha tido nenhum tipo de dependência, nem qualquer problema de saúde mental, só precisava que eu dissesse isso para ela voltar a seu "verdadeiro médico" e conseguir seus remédios.

– Fiz uma cirurgia de *bypass* gástrico – ela começou, como se pudesse ser explicação suficiente para as doses perigosamente altas de remédios controlados que estava tomando. Como aquelas professoras das antigas, falava como se passasse um sermão em uma aluna pouco talentosa. – Costumava pesar mais de 90 quilos e agora não. Então, é claro que tenho um transtorno de má absorção pelo desvio do meu intestino, razão pela qual preciso de 120 mg de escitalopram, só para chegar aos níveis sanguíneos de uma pessoa normal. Você, doutora, mais que qualquer um, vai entender.

O escitalopram é um antidepressivo que modula o neurotransmissor seratonina. A dose média diária é de 10 a 20 mg, o que faz com que a dosagem de Lori seja, no mínimo, seis vezes acima do normal. Em geral, os antidepressivos não são erroneamente usados para dar barato, mas já vi casos assim ao longo dos anos. Embora seja verdade que a cirurgia em Y de Roux, feita em Lori para perder peso, possa levar a problemas de absorção de alimentos e medicamentos, seria muito incomum a necessidade de doses tão altas. Algo mais estava acontecendo.

– Você está usando algum outro medicamento, ou alguma outra substância?

– Eu tomo gabapentina e maconha medicinal para dor. Tomo zolpidem para dormir. Meus remédios são esses. Preciso deles para tratar meus problemas de saúde. Não sei o que há de errado nisso.

– Que problemas de saúde você está tratando?

É claro que já tinha lido o prontuário dela e sabia o que dizia, mas sempre gosto de escutar o entendimento do paciente quanto a seu diagnóstico médico e tratamento.

– Tenho depressão e dor no pé por causa de uma lesão antiga.

– Tudo bem. Faz sentido. Mas as doses são altas. Me pergunto se alguma vez você teve problemas por tomar uma dose a mais de alguma substância do que você planejava, ou de usar comida ou drogas para lidar com emoções dolorosas.

Ela se enrijeceu, as costas retas, as mãos apertadas no colo, os tornozelos fortemente cruzados. Parecia que ia pular da cadeira e sair correndo da sala.

– Já falei, doutora, não tenho esse problema. – Apertou os lábios e desviou o olhar.

Suspirei.

– Vamos mudar de assunto – eu disse, esperando consertar nosso começo acidentado. – Por que não me conta sobre a sua vida, como se fosse uma miniautobiografia: onde você nasceu, quem te criou, como você era quando criança, os marcos mais importantes da sua vida, até chegar ao presente.

Depois que conheço o histórico de um paciente, as forças que o moldaram para criar a pessoa que vejo à minha frente, a animosidade evapora no calor da empatia. Entender realmente uma pessoa é se preocupar com ela, motivo pelo qual sempre ensino meus alunos e residentes de medicina, ávidos por processar experiência dentro de caixas discretas –, como "histórico da doença presente", "exame da situação mental", e "revisão dos sistemas", como foram ensinados a fazer –, a focar no histórico. O histórico recupera não apenas a humanidade do paciente, como a nossa própria.

Lori cresceu na década de 1970, em uma fazenda no estado de Wyoming, a mais nova de três irmãos criados por pai e mãe. Ela lembra que desde pequena sentia que era diferente.

– Alguma coisa não estava certa comigo. Eu não me sentia parte daquele lugar. Me sentia esquisita e deslocada. Tinha um problema de fala, a língua presa. A vida toda me senti estúpida.

Lori era, claramente, muito inteligente, mas as opiniões que temos de nós mesmos no início de vida são tão fortes que eliminam toda evidência do contrário.

Ela se lembrou de ter medo do pai. Ele tinha tendência à raiva, mas a maior ameaça na casa deles era o espectro de um Deus punitivo.

– Na infância, conheci um Deus ameaçador. Se você não fosse perfeito, ia para o inferno. – Como resultado, dizer a si mesma que era perfeita, ou pelo menos mais perfeita do que os outros, passou a ser um tema importante ao longo da sua vida.

Lori foi uma aluna normal e uma atleta acima da média. Estabeleceu o recorde de 100 metros na corrida de obstáculos durante o ensino fundamental e começou a sonhar com as Olimpíadas. Mas, em seu primeiro ano do ensino médio, ela quebrou o tornozelo correndo. Precisou de cirurgia e sua incipiente carreira como corredora teve um fim definitivo.

– Tiraram de mim a única coisa em que eu era boa. Foi então que comecei a comer. A gente parava no McDonald's e eu conseguia comer dois Big Macs. Sentia orgulho disso. Quando entrei na faculdade, já não ligava mais para a minha aparência. No meu primeiro ano, eu pesava 56 quilos. Quando me formei e fui fazer biomédicas, pesava 81 quilos. Também comecei a experimentar drogas: álcool, maconha, pílulas... principalmente hidrocodona. Mas minha droga preferida sempre foi comida.

Os quinze anos seguintes foram marcados por uma vida nômade, de cidade em cidade, de trabalho em trabalho, de namorado em namorado. Como biomédica, era fácil para Lori arrumar trabalho em quase todo lugar. A única constante em sua vida era frequentar a igreja todos os domingos, não importava onde morasse.

Durante esse tempo, usou comida, comprimidos, álcool, maconha e o que mais pudesse encontrar para escapar de si mesma. Num dia típico, tomava um pote de sorvete no café da manhã, comia salgadinhos durante o expediente no trabalho e engolia um zolpidem assim que chegasse em casa. No jantar, tomava outro pote de sorvete, comia um Big Mac, uma porção grande de fritas e uma Diet Coke, seguidos por mais dois comprimidos de zolpidem e uma grande fatia de bolo de sobremesa. Às vezes, ela tomava o zolpidem já no final do turno, para adiantar as coisas e já estar chapada quando chegasse em casa.

– Se conseguisse não dormir depois de tomar zolpidem, eu ficava loucona. Então, depois de duas horas, tomava mais dois e ficava mais louca. Eufórica. Quase tão bom quanto opioides.

Ela repetia esse ciclo, ou um bem parecido, dia após dia. Nas férias, misturava comprimidos para dormir com remédio para tosse para ficar surtada, ou ficava bêbada e tinha um comportamento sexual de risco.

Quando Lori estava com 30 e poucos anos, morava sozinha em uma casa no estado de Iowa e passava o tempo de folga drogada, escutando o radialista americano e teórico da conspiração Glenn Beck.

– Fiquei convencida de que o fim do mundo estava próximo. Armagedom, muçulmanos, uma invasão iraniana. Comprei um monte de galões de gasolina. Guardei-os no quarto de despejo. Depois, levei-os para o quintal, debaixo de uma lona. Comprei um rifle calibre 22. Aí, me dei conta de que eu poderia explodir, então comecei a abastecer o carro com a gasolina dos galões, até acabar.

Em certo nível, Lori sabia que precisava de ajuda, mas tinha pavor de pedir. Tinha medo de que, se admitisse não ser a "cristã perfeita", as pessoas se afastariam dela. Algumas vezes, deu pistas de seus problemas a alguns companheiros da igreja, mas acabou entendendo, por mensagens sutis, que certas questões não deveriam ser compartilhadas. Àquela altura, ela pesava 113 quilos, tinha uma depressão acachapante e começou a se perguntar se não estaria melhor morta.

– Lori, quando olhamos para o todo, seja comida, maconha, álcool ou comprimidos tarja preta, um dos problemas persistentes parece ser o hiperconsumo compulsivo autodestrutivo. Faz sentido isso que estou dizendo?

Ela olhou para mim e não disse nada. Depois, começou a chorar. Quando conseguiu falar, disse:

– Sei que é verdade, mas não quero acreditar. Não quero ouvir. Tenho um trabalho. Tenho um carro. Vou à igreja todo domingo. Achei que fazer a cirurgia de *bypass* gástrico resolveria tudo. Achei que perder peso mudaria a minha vida. Mesmo quando perdi peso, eu ainda queria morrer.

Sugeri vários caminhos diferentes que Lori poderia tomar para ficar melhor, inclusive frequentar o AA.

– Não preciso disso – ela disse, sem hesitação. – Tenho a minha igreja.

Um mês depois, Lori voltou, como estava agendado.

– Tive uma reunião com os decanos da igreja.

– O que aconteceu?

Ela desviou o olhar.

– Eu me abri de uma maneira que nunca tinha feito antes... a não ser com você. Contei tudo a eles... ou quase tudo. Simplesmente escancarei tudo.

– E aí?

– Foi esquisito. Eles pareceram... confusos. Ansiosos. Como se de fato não soubessem o que fazer comigo. Me disseram para rezar. Disseram que rezariam por mim. Também me incentivaram a não discutir meus problemas com outros membros da igreja. Foi só.

– Como você se sentiu?

– Naquele momento, senti aquele Deus condenatório, que humilha. Consigo citar a Escritura, mas não sinto ligação com o Deus amoroso da Escritura. Não consigo viver à altura dessa expectativa. Não sou tão boa. Então, parei de ir à igreja. Faz um mês. E sabe, parece que ninguém deu bola. Ninguém telefonou. Ninguém entrou em contato comigo. Ninguém.

Lori foi pega no ciclo da vergonha destrutiva. Ao tentar ser honesta com os membros da igreja, foi desencorajada a compartilhar aquele aspecto da sua vida, numa declaração implícita de que seria rejeitada, ou se sentiria mais envergonhada se revelasse suas dificuldades. Ela não podia arriscar perder o pouco daquela sua pequena comunidade. Mas manter seu comportamento escondido também perpetuava sua vergonha, contribuindo ainda mais para o isolamento, o que por sua vez fomentava seu consumo contínuo de drogas.

Estudos demonstram que pessoas ativamente envolvidas em organizações religiosas em média têm taxas mais baixas de mau uso de drogas e álcool.[1] Mas quando organizações que se baseiam na fé acabam no lado errado da equação vergonha, afastando transgressores e/ou incentivando uma rede de segredos e mentiras, contribuem para o ciclo da vergonha destrutiva.

A vergonha destrutiva tem este aspecto: o hiperconsumo leva à vergonha, que leva ao banimento do grupo ou a mentir para o grupo para evitar banimento, o que nos dois casos resulta em maior isolamento, contribuindo para a continuidade do consumo, e assim o ciclo se perpetua.

O antídoto para a vergonha destrutiva é a vergonha *pró-social*. Vejamos como isto poderia funcionar.

▶ O AA como um modelo para vergonha pró-social

Meu mentor falou uma vez sobre o que o motivou a parar de ingerir álcool. Relembro com frequência essa história porque ilustra a faca de dois gumes da vergonha.

Ele já estava com 40 e tantos anos e bebia em segredo todas as noites, depois que a esposa e os filhos iam dormir. Fez isto por muito tempo, mesmo depois de ter jurado à esposa que tinha parado. Todas as mentirinhas que contava para encobrir que bebia e o próprio fato de beber acumularam-se e pesaram em sua consciência, o que, por sua vez, levou-o a beber mais. Bebia por vergonha.

Um dia, sua esposa descobriu. "Seu olhar de desapontamento e traição me levou a jurar que nunca mais eu beberia", ele contou.

A vergonha que ele sentiu naquele momento e o desejo de recuperar a confiança e a aprovação da esposa impeliram-no a sua primeira tentativa séria de recuperação. Começou a frequentar as reuniões do Alcoólicos Anônimos. Para ele, o principal benefício do AA foi um "processo de desenvergonhamento": "Percebi que não era o único. Havia outras pessoas exatamente como eu. Havia outros médicos que lutavam com a dependência alcoólica. Saber que eu tinha um lugar onde poderia ser completamente honesto, e ainda assim ser aceito, foi incrivelmente importante. Criou o espaço psicológico de que eu precisava para me perdoar e fazer mudanças. Para seguir em frente na minha vida".

A vergonha pró-social baseia-se na ideia de que a vergonha é útil e importante para comunidades prósperas. Sem a vergonha, a sociedade despencaria no caos. Assim, sentir vergonha por comportamentos transgressivos é adequado e bom.

Além disso, a vergonha pró-social é baseada na ideia de que somos todos falhos, passíveis de cometer erros e necessitados de perdão. A chave para encorajar adesão a normas grupais, sem banir todo mundo que se desencaminha, é ter uma lista de coisas a fazer pós-vergonha, que ofereça etapas específicas para se corrigir. É o que o AA faz com seus 12 Passos.

O ciclo da vergonha pró-social é o seguinte: o hiperconsumo leva à vergonha, que exige uma honestidade radical que conduz *não* ao banimento, como vimos na vergonha destrutiva, mas à aceitação e à empatia, agregada a um conjunto de ações exigidas para se corrigir. O resultado é um aumento de pertencimento e uma diminuição de consumo.

Meu paciente Todd, um jovem cirurgião em recuperação por dependência alcoólica, contou-me que o AA "foi o primeiro lugar seguro para expressar vulnerabilidade". Logo na primeira reunião, ele chorou tanto que não conseguiu dizer seu nome.

— Depois, todo mundo veio, me dando o número de telefone, me dizendo para ligar. Era a comunidade que eu sempre quis, mas nunca tive. Nunca poderia ter me aberto daquele jeito com meus companheiros de escalada ou com outros cirurgiões.

Após cinco anos em persistente recuperação, Todd confessou que, para ele, o mais importante dos 12 Passos foi o Passo 10 ("Continuamos fazendo o inventário pessoal e, quando estávamos errados, admitíamos prontamente").

— Todos os dias, faço uma checagem de mim mesmo. *Vamos lá, estou perturbado? Se sim, como posso mudar? Tenho que me corrigir? Como posso me corrigir?* Por exemplo, noutro dia, eu estava lidando com um residente que não me deu uma informação correta sobre um paciente. Comecei a ficar frustrado. *Por que isto não está sendo feito?* Quando sinto essa frustração, digo comigo mesmo: *OK, Todd, pare. Pense. Esta pessoa tem quase dez anos a menos de experiência do que você. Provavelmente está com medo. Em vez de ficar frustrado, como pode ajudá-la a conseguir o que precisa?* Não é algo que faria antes de entrar em recuperação.

"Uns dois anos atrás, cerca de três anos já em recuperação, estava supervisionando um estudante de medicina que era muito ruim. Sério, realmente horrível. Eu não deixava que cuidasse dos pacientes. Quando chegou a época da avaliação de meio de período, sentei-me com ele e resolvi ser honesto: 'Olha, você não vai passar neste estágio a não ser que faça grandes mudanças'.

"Depois do meu feedback, ele decidiu recomeçar e de fato tentou melhorar seu desempenho. Conseguiu e acabou passando no estágio. O caso é o seguinte: nos meus tempos de bebedeira, eu não teria sido honesto com ele. Simplesmente deixaria que fosse em frente e bombasse no estágio, ou deixaria o problema para outro resolver."

Uma autoavaliação sincera leva não apenas a um melhor entendimento de nossas próprias deficiências, como também nos permite avaliar e reagir às falhas dos outros com mais objetividade. Quando somos responsáveis por nós mesmos, conseguimos tornar os outros responsáveis. Podemos utilizar a vergonha sem envergonhar.

O segredo aqui é responsabilidade com compaixão. Essas lições aplicam-se a todos nós, dependentes ou não, e se traduzem para todo tipo de relacionamento na nossa vida diária.

O Alcoólicos Anônimos é uma organização modelo para vergonha pró-social. A vergonha pró-social no AA potencializa a adesão às normas do grupo. Não existe vergonha em ser um "alcoólico", consistente com a frase "O AA é um espaço livre de vergonhas", mas há vergonha na busca sem convicção da "sobriedade". Pacientes me contaram que a vergonha antecipada de ter que admitir ao grupo que tiveram uma recaída funciona como um importante impeditivo contra a recaída e promove mais comprometimento com as normas do grupo.

Importante: quando membros do AA têm uma recaída, isso funciona como um "bem de clube". Os economistas comportamentais referem-se às recompensas de pertencer a um clube como "bens de clube". Quanto mais robustos os bens de clube, maior a probabilidade de o grupo conseguir manter seus membros atuais e atrair novos membros. O conceito de bens de clube pode ser aplicado a qualquer grupo de seres humanos, desde famílias até grupos de amigos e congregações religiosas.

E o economista comportamental Laurence Iannaccone escreveu, referindo-se a bens de clube em organizações baseadas na fé: "O prazer que tiro do culto de domingo depende não apenas dos meus próprios aportes, como também dos aportes de outros: quantos compareçem, com que cordialidade eles me recebem, o quanto eles cantam bem, com que entusiasmo leem e rezam".[2] Os bens de clube são reforçados pela participação ativa em atividades e encontros do grupo e pela adesão às regras e normas do grupo.

A revelação honesta de uma recaída para a irmandade do AA aumenta os bens de clube, ao criar a oportunidade para outros membros do grupo oferecerem empatia, altruísmo e, vamos ser sinceros, algum grau de *schadenfreude** ao pensarem coisas como "Poderia ter sido comigo e com certeza estou feliz de que não foi" ou "Lá vou eu, mas só pela graça de Deus".

Os bens de clube são ameaçados quando oportunistas tentam se beneficiar do grupo sem uma participação efetiva naquela comunidade, semelhante aos termos mais coloquiais *aproveitadores* ou *sanguessugas*. Quando se trata das regras e normas do grupo, os oportunistas ameaçam os bens de clube ao não aderir, mentir e/ou não fazer qualquer esforço para mudar sua atitude. Seu comportamento individual não faz nada para reforçar os bens de clube, embora estejam se beneficiando de serem membros do grupo e tenham as vantagens do pertencimento.

---

* Termo alemão que significa a satisfação, velada ou não, perante a desgraça do outro. (N. T.)

Iannaconne notou que é difícil, senão impossível, medir aderência aos princípios do grupo que cria os bens de clube, especialmente quando as exigências envolvem hábitos pessoais e não tangíveis, fenômenos subjetivos, como contar a verdade.

A teoria do sacrifício e do estigma de Iannaconne postula que uma maneira indireta de "medir" a participação do grupo é pela obrigatoriedade de adotar comportamentos estigmatizados, o que reduz a participação em outros contextos, e pela exigência do sacrifício de recursos do indivíduo para a exclusão de outras atividades.[3] Assim, os oportunistas são desmascarados.

Em outras palavras, as atitudes exigidas por certas instituições religiosas que parecem excessivas, gratuitas ou mesmo irracionais – tais como usar certo tipo de penteado ou certas roupas, se abster de vários alimentos ou formas de tecnologia moderna, ou recusar certos tratamentos médicos – são racionais quando compreendidas como um custo individual em prol da redução ou exclusão de aproveitadores dentro do grupo.

Você poderia pensar que organizações religiosas e outros grupos sociais mais descontraídos, com menos regras e restrições, atrairiam um maior número de seguidores. Não é o que acontece. As "igrejas mais rigorosas" conquistam mais seguidores e, em geral, são mais bem-sucedidas do que as liberais porque desmascaram os oportunistas e oferecem bens de clube mais robustos.

Jacob juntou-se ao grupo dos 12 Passos do Sexaholics Anonymous (SA) logo no início do seu processo de recuperação e aumentou seu envolvimento a cada recaída. Seu comprometimento foi admirável. Frequentava reuniões de grupo todos os dias, por celular ou pessoalmente. Com frequência, fazia oito ou mais telefonemas diários a companheiros da irmandade.

O AA e outros grupos dos 12 Passos têm sido difamados como "cultos", ou organizações em que as pessoas trocam sua dependência por álcool e/ou drogas por uma dependência ao grupo. Essas críticas não levam em consideração que a rigidez da organização e sua estrutura de culto podem ser a própria causa da sua eficácia.

Os oportunistas nos grupos dos 12 Passos podem assumir várias formas, mas entre os mais perigosos estão aqueles membros que não admitem quando reincidem, não se reafirmam como iniciantes e não refazem os passos. Eles privam o grupo do bem de clube da vergonha pró-social, sem falar na rede social sóbria, crucial para a recuperação. Para manter os bens de clube, o AA precisa assumir medidas firmes, e às vezes aparentemente irracionais, contra este tipo de oportunismo.

Joan conseguiu parar de beber frequentando o AA. Ela também foi a reuniões regulares, teve um padrinho e ela mesma amadrinhou outras pessoas. Fazia quatro anos que estava no AA em abstinência alcoólica, e era minha paciente havia dez, então pude observar e avaliar todas as mudanças positivas que o AA fez em sua vida.

Joan teve um episódio no início dos anos 2000, quando usou álcool involuntariamente. Viajava pela Itália, onde não falava a língua, e acidentalmente pediu e consumiu uma bebida que continha uma porcentagem muito pequena de álcool, comparável à das cervejas sem álcool vendidas nos Estados Unidos. Só depois ela percebeu o que tinha acontecido, não por se sentir alterada, mas por ter lido o rótulo.

Ao voltar da viagem e contar a seu padrinho o que havia acontecido, ele insistiu que ela havia recaído e a incentivou a contar ao grupo e redefinir sua data de sobriedade. Fiquei surpresa que o padrinho de Joan assumisse uma postura tão rígida. Afinal de contas, ela havia consumido uma quantidade de álcool tão insignificante que a maioria das pessoas nem considera que tal bebida seja "alcoólica". Mas Joan concordou, embora às lágrimas. Até hoje, ela mantém sua recuperação e sua presença no AA.

A insistência do padrinho de Joan em que ela redefinisse sua data de sobriedade me pareceu excessiva à época, mas agora eu a entendo tanto como uma prevenção, para que um pouquinho de álcool não levasse a um monte de álcool – o terreno perigoso –, quanto como uma "maximização da utilidade" para o bem maior do grupo. A disposição de Joan em se conformar com uma interpretação muito rigorosa de recaída reforçou seus vínculos com o grupo, o que, a longo prazo, também se revelou positivo para ela.

Além disso, Joan observou:

– Talvez em parte eu soubesse que havia álcool na bebida e quisesse usar o fato de estar num país estrangeiro como desculpa. – Nesse sentido, o grupo funciona como uma consciência estendida.

É claro que estratégias de pensamento de grupo podem ser usadas para fins execráveis, por exemplo, quando os custos de pertencer ao grupo excedem os benefícios e os membros são prejudicados. O NXIVM se autodescrevia como um programa executivo de sucesso, mas seus líderes foram presos e indiciados em 2018 sob acusações de tráfico sexual e extorsão. Da mesma forma, existem situações em que os membros de um grupo obtêm benefícios às custas de prejudicar quem está fora do grupo, tais como várias entidades hoje que usam a mídia social para espalhar falsidades.

***

Alguns meses depois de deixar de frequentar a igreja, Lori foi à sua primeira reunião do AA, onde recebeu o companheirismo solidário que estava procurando, mas não tinha conseguido encontrar na igreja. Em 20 de dezembro de 2014, ela largou todas as substâncias e desde então tem mantido sua recuperação.

– Não sei dizer exatamente o que aconteceu, nem quando – Lori disse, revendo anos depois a sua própria recuperação, que atribui à sua participação no AA. – Escutar as histórias das pessoas, o alívio que senti ao me livrar dos segredos mais profundos e sombrios, ver a esperança nos olhos dos recém-chegados. Eu estava tão isolada antes! Lembro-me de só querer morrer. Ficava acordada à noite, me flagelando por todas as coisas que havia feito. No AA, aprendi a me aceitar e a aceitar os outros pelo que são. Agora tenho relacionamentos verdadeiros com as pessoas. Pertenço a esse grupo. Eles conhecem meu verdadeiro eu.

▸ Vergonha pró-social e parentalidade

Sendo uma mãe que se preocupa com o bem-estar dos filhos em um mundo inundado pela dopamina, tentei incorporar os princípios da vergonha pró-social na vida da nossa família.

Em primeiro lugar, estabelecemos a honestidade radical como um valor familiar intrínseco. Eu me esforço, nem sempre com sucesso, em moldar a honestidade radical no meu próprio comportamento. Às vezes, como pais, pensamos que, ao esconder dos filhos nossos erros e imperfeições e só revelar nossa melhor parte, ensinaremos a eles o que é certo. Mas isso pode ter o efeito oposto, levando as crianças a sentirem que precisam ser perfeitas para serem amadas.

Em vez disso, se formos abertos e honestos sobre nossas dificuldades, criamos um espaço para os filhos serem abertos e honestos em relação às deles. Dessa forma, precisamos também estar preparados e dispostos a admitir quando tivermos errado em nossas interações com eles e com outros. Precisamos aceitar nossa própria vergonha e estarmos prontos para nos corrigir.

Cerca de cinco anos atrás, quando meus filhos ainda estavam no ensino fundamental, dei a cada um deles um coelhinho de chocolate na Páscoa. Eram de chocolate ao leite cremoso, feitos por um *chocolatier* especial. As crianças comeram um pouco e guardaram o resto na despensa, para mais tarde.

Nas duas semanas seguintes, mordisquei cá e lá um tantinho dos coelhinhos, achando que não era o bastante para alguém notar. Quando meus filhos se lembraram dos chocolates, eu tinha comido quase tudo. Sabendo da minha predileção por chocolate, eles me acusaram de imediato.

– Não fui eu – eu disse. A mentira veio naturalmente.

Continuei mentindo nos três dias seguintes. Eles persistiram no ceticismo de que eu estivesse dizendo a verdade, mas depois começaram a acusar um ao outro. Eu sabia que tinha que consertar as coisas. *Como vou ensinar honestidade aos meus filhos se eu mesma não sou honesta? E que coisa mais idiota, mais estúpida, mentir sobre isso!* Levei três dias para criar coragem de contar a verdade. Estava muito envergonhada.

Eles se viram vingados e ficaram horrorizados ao saber a verdade. Vingados porque sua primeira suspeita estava certa. Horrorizados de que sua própria mãe mentisse para eles. Para mim e para eles foi instrutivo em vários aspectos.

Lembrei a mim mesma, e sinalizei a eles, o quanto eu era imperfeita. Também serviu de modelo de que, quando cometo erros, pelo menos posso assumir minha responsabilidade. Meus filhos me perdoaram e até hoje adoram contar a história de como eu "roubei" o chocolate deles e "menti" a respeito. A provocação deles é minha penitência e a recebo de bom grado. Juntos, reafirmamos que na nossa família as pessoas cometerão erros, mas não serão permanentemente condenadas ou banidas. Estamos aprendendo e crescendo juntos.

Assim como meu paciente Todd, quando nos empenhamos numa reavaliação enérgica e honesta de nós mesmos, somos mais capazes e ficamos mais dispostos a dar um feedback honesto a outras pessoas, no espírito de ajudá-las a entender suas potencialidades e limitações.

Esse tipo de honestidade radical sem causar vergonha é também importante para ensinar as crianças suas qualidades e fraquezas.

Nossa filha mais velha começou a ter aulas de piano aos 5 anos. Fui criada numa família musical e estava ansiosa para compartilhar música com os meus filhos. O que aconteceu foi que minha filha não tinha noção de ritmo e mal conseguia distinguir sons graves de agudos. No entanto, nós duas persistimos teimosamente com seus estudos diários, eu sentada ao seu lado, tentando incentivá-la, enquanto disfarçava meu horror perante sua total falta de aptidão. A verdade é que nenhuma de nós gostava daquilo.

As aulas já aconteciam havia cerca de um ano, quando assistimos ao filme *Happy Feet*, sobre um pinguim, Mumble, que tem um grande problema, não consegue cantar uma única nota, num mundo onde é preciso uma música comovente para atrair uma alma gêmea. Nossa filha me olhou na metade do filme e perguntou:

– Mamãe, eu sou como o Mumble?

Na hora, me vi em dúvida como mãe. *O que digo? Conto a verdade a ela e me arrisco a prejudicar sua autoestima, ou minto e tento usar a mentira para estimular um amor pela música?*

– É, você é muito parecida com o Mumble – arrisquei.

Minha filha abriu um grande sorriso, que interpretei como validação. Soube, então, que tinha feito a escolha certa.

Ao validar o que ela já sabia ser verdade – sua falta de talento musical –, encorajei sua capacidade de uma autoavaliação precisa, capacidade que ela demonstra até hoje. Também levei-a a perceber que não podemos ser bons em tudo e que é importante saber no que somos bons e no que não somos, para podermos tomar decisões sensatas.

Depois de um ano, ela decidiu largar as aulas de piano, para alívio de todos, e gosta de música até hoje. Canta junto com o rádio, completamente desafinada e nem um pouco constrangida por isso.

A honestidade mútua exclui a vergonha e prenuncia uma explosão de intimidade, um ímpeto de calor emocional que vem de nos sentirmos em conexão profunda com os outros, de nos sentirmos aceitos apesar das nossas falhas. O que cria a intimidade que desejamos não é a nossa perfeição, mas a disposição de trabalharmos juntos para remediar nossos erros.

É quase certo que esse tipo de explosão de intimidade venha acompanhado pela liberação da própria dopamina endógena do nosso cérebro. Mas ao contrário da descarga de dopamina que conseguimos com prazeres baratos, a descarga que obtemos com a intimidade verdadeira é adaptativa, rejuvenescedora e estimula a saúde.

Através de sacrifício e estigma, meu marido e eu tentamos fortalecer nossos bens de clube familiar.

Não deixamos nossos filhos terem o próprio celular até entrarem no ensino médio. Isto fez deles uma aberração entre seus colegas, especialmente no fim do ensino fundamental. No começo, eles pediram e adularam para ter um celular próprio, mas depois de um tempo passaram a ver essa diferença como parte fundamental da sua identidade, juntamente com nossa insistência a nos locomovermos de bicicleta sempre que possível, em vez de usar o carro, e passarmos um tempo juntos em família, sem dispositivos eletrônicos.

Estou convencida de que o treinador de natação dos nossos filhos tem um doutorado secreto em economia comportamental. Ele utiliza sacrifício e estigma regularmente para reforçar os bens de clube.

Em primeiro lugar, há o prodigioso compromisso com o tempo, até quatro horas por dia de natação para alunos do ensino médio, e a vergonha dissimulada que acontece quando eles faltam ao treino. Existe reconhecimento e recompensas para bom comparecimento (não muito diferente das fichas do AA para trinta comparecimentos em trinta dias), inclusive a oportunidade de participar de viagens para competições. Existem as regras rígidas sobre o que usar nesses encontros: somente camiseta vermelha de proteção solar às sextas-feiras, camisetas cinza de proteção solar aos sábados, equipamento com o logo do time (toucas, trajes, óculos de proteção). Isto distingue bem os membros do time das outras crianças.

Muitas dessas regras parecem excessivas e gratuitas, mas quando vistas pelas lentes dos princípios de maximização da utilidade para fortalecer a participação, reduzir o oportunismo e aumentar os bens de clube, elas fazem sentido. E as crianças afluem para esse time em particular, parecendo amar a rigidez, mesmo quando reclamam dela.

Tendemos a pensar na vergonha de forma negativa, especialmente numa época em que *envergonhar* – causar vergonha em alguém por ser gordo, por seu comportamento sexual, por ter um corpo "fora dos padrões" e assim por diante – é uma palavra tão carregada e (acertadamente) associada com intimidação. Em nosso mundo cada vez mais digital, a vergonha promovida pela mídia social e sua correlata "cultura do cancelamento" passou a ser uma forma de banimento, uma adaptação moderna aos mais destrutivos aspectos da vergonha.

Mesmo quando ninguém mais está apontando o dedo para nós, estamos todos muito preparados para apontá-lo para nós mesmos.

A mídia social impele nossa tendência para a autovergonha, provocando muitas distinções deploráveis. Agora, nos comparamos não apenas a nossos colegas de escola, vizinhos e colegas de trabalho, mas ao mundo todo, tornando fácil demais nos convencermos de que deveríamos ter feito mais, ou conseguido mais, ou apenas viver de outro modo.

Hoje em dia, para considerarmos nossa vida "bem-sucedida", precisamos alcançar os patamares míticos de Steve Jobs e Mark Zuckerberg ou, como Elizabeth Holmes, da corporação Theranos, um Ícaro recente, despencar em chamas em meio às tentativas.[*]

Mas a experiência vivida pelos meus pacientes sugere que a vergonha pró-social pode ter efeitos positivos e saudáveis, aplainando um pouco as bordas mais ásperas do narcisismo, vinculando-nos mais intimamente a nossas redes sociais solidárias e refreando nossas tendências adictivas. ■

---

[*] Elizabeth Holmes foi fundadora, em 2014, de uma companhia que dizia ser revolucionária na área de exames laboratoriais, a Theranos. Segundo ela, com uma única gota de sangue seria possível detectar inúmeras doenças, dispensando a coleta com agulha. A empresa recebeu inúmeros investimentos de pessoas de renome, até ser posta em dúvida pelo Wall Street Journal e ser dissolvida em 2018, sob acusação de fraude. (N. T.)

CONCLUSÃO

Lições do equilíbrio

TODOS NÓS DESEJAMOS UM RESPIRO DO MUNDO, uma pausa dos padrões impossíveis que com frequência estabelecemos para nós mesmos e para outros. É natural que procurássemos um alívio de nossas próprias ruminações incansáveis: *Por que fiz isso? Por que não posso fazer isto? Olha o que me fizeram. Como pude fazer isso para eles?*

Então, somos atraídos para qualquer uma das formas agradáveis de fuga, que agora estão disponíveis para nós: coquetéis da moda, a câmara de ressonância da mídia social, maratona de reality shows, uma noite de pornô pela internet, batatas fritas e fast food, video games envolventes, romances baratos de vampiro... A lista realmente não acaba. Drogas e comportamentos adictivos oferecem esse respiro, mas, com o tempo, contribuem para nossos problemas.

E se, em vez de tentar escapar do mundo para esquecer, corrermos em direção a ele? E se, em vez de deixar o mundo para trás, mergulharmos de cabeça nele?

Muhammad, você vai se lembrar, foi meu paciente que tentou várias formas de autocomprometimento para limitar seu consumo de maconha, mas acabava voltando exatamente ao ponto em que começou, progredindo da moderação para o consumo excessivo e para dependência em um ritmo ainda mais rápido.

Quando tentava mais uma vez controlar seu consumo de maconha, ele foi caminhar em Point Reys, uma trilha ao norte de São Francisco, na esperança de encontrar refúgio em uma atividade que um dia já lhe dera prazer.

Mas cada curva trazia-lhe lembranças de fumar erva – no passado, as caminhadas quase sempre aconteciam num estado de semi-intoxicação –, e então, em vez de ser uma escapatória, a caminhada transformou-se em uma agonia de desejo e uma reminiscência dolorosa de perda. Ele se desesperou com a ideia de nunca conseguir controlar seu problema com a maconha.

Então, teve um momento de revelação. Em um determinado local com vista, onde tinha memórias explícitas de fumar um baseado com amigos, levou a câmera aos olhos e apontou para uma planta próxima. Viu um inseto em uma folha e focou mais a câmera, dando um zoom na carapaça vermelha brilhante do besouro, nas antenas estriadas e nas pernas peludas. Ficou hipnotizado.

Sua atenção ficou enredada pela criatura em sua lente. Tirou uma série de fotos, depois mudou o ângulo e fotografou mais. Pelo resto da caminhada, parou para tirar fotografias extremamente próximas de besouros. Assim que fez isto, seu desejo por maconha diminuiu.

– Tive que me obrigar a ficar bem quieto – ele me contou em uma das nossas sessões, em 2017. – Tive que conseguir uma imobilidade perfeita para tirar uma fotografia bem nítida. Esse processo me aterrou e me centrou. Descobri um mundo estranho, surreal e irresistível do outro lado da câmera, que rivalizava com o mundo para onde eu escapava com as drogas. Mas aquilo era melhor porque as drogas não eram necessárias.

Muitos meses depois, percebi que o caminho de Muhammad para a recuperação era semelhante ao meu.

Tomei uma decisão consciente de voltar a mergulhar nos cuidados com os pacientes, focando nos aspectos do meu trabalho que sempre foram gratificantes: desenvolver um relacionamento com meus pacientes com o passar do tempo, e mergulhar em uma narrativa como maneira de organizar o mundo. Fazendo isto, consegui largar a leitura compulsiva de romances baratos, para me voltar para uma carreira mais gratificante e significativa. Também me saí melhor em meu trabalho, mas meu sucesso foi um subproduto inesperado, não o que eu estava buscando.

Incentivo você a procurar uma maneira de mergulhar a fundo na vida que lhe foi dada; a parar de fugir do que quer que esteja querendo escapar e, em vez disso, parar e encarar seja lá o que for.

Então, eu desafio você a andar nessa direção. Assim, o mundo pode se revelar a você como algo mágico e inspirador, do qual não é necessário fugir. Em vez disso, o mundo pode se tornar algo em que vale a pena prestar atenção.

Os ganhos de encontrar e manter equilíbrio não são imediatos nem permanentes. Exigem paciência e manutenção. Temos que estar dispostos a seguir em frente, apesar da incerteza do que nos espera. Temos que ter fé de que as atitudes de hoje, que parecem não ter impacto no momento presente, estão, de fato, se acumulando em uma direção positiva que nos será revelada apenas em um momento desconhecido, no futuro. Práticas saudáveis acontecem dia a dia.

Minha paciente Maria me disse:

– A recuperação é como aquela cena do Harry Potter, quando Dumbledore desce por uma viela escura, acendendo postes de iluminação ao longo do caminho. Só quando ele chega ao fim da viela e olha para trás é que vê tudo iluminado, enxerga a luz do seu progresso.

Estamos aqui no final, mas poderia ser apenas o começo de uma nova maneira de abordar o mundo hipermedicado, hiperestimulado, saturado de prazeres dos nossos dias. Pratique as lições do equilíbrio, para olhar em retrospecto e enxergar a luz do seu progresso.

▶ Lições do equilíbrio

1. A busca incessante do prazer (e a fuga do sofrimento) leva ao sofrimento.

2. A recuperação começa com a abstinência.

3. A abstinência reconfigura o circuito de gratificação do cérebro e, com ele, nossa capacidade de sentir alegria nos prazeres mais simples.

4. O autocomprometimento cria espaço literal e metacognitivo entre o desejo e o consumo, uma necessidade moderna em nosso mundo saturado de dopamina.

5. Os medicamentos podem restaurar a homeostase, mas pense no que perdemos ao eliminar nosso sofrimento com remédios.

6. Pender um pouco para o lado do sofrimento reconfigura nosso equilíbrio para o lado do prazer.

7. É preciso estar atento para não se tornar dependente do sofrimento.

8. A honestidade radical impulsiona a conscientização, amplia a intimidade e favorece uma mentalidade farta.

9. A vergonha pró-social confirma que pertencemos à tribo humana.

10. Em vez de fugir do mundo, podemos encontrar escapatória ao mergulhar nele.

NOTA DA AUTORA

AS CONVERSAS ÍNTIMAS E HISTÓRIAS DESTE LIVRO foram incluídas com o consentimento dos entrevistados. Para proteger a privacidade deles, apaguei e mudei nomes e outros detalhes demográficos, mesmo quando os participantes estavam dispostos a incluí-los sem mudanças. O processo de obtenção do consentimento incluiu a concordância dos participantes com o seguinte: "É provável que alguém que o/a conheça bem e leia a sua história aqui o/a reconheça, mesmo que eu tenha mudado seu nome. Tudo bem para você?". E "Se houver algum detalhe que você não queira compartilhar, me avise e eu o excluirei". ▪

AGRADECIMENTOS

GOSTARIA DE AGRADECER A MEUS PACIENTES, que compartilharam suas experiências e reflexões comigo, no processo de escrever este livro. Sua disponibilidade em se doar não apenas para mim, mas para os leitores ocultos e desconhecidos, é um ato de coragem e generosidade. Este livro é nosso.

Também gostaria de agradecer àqueles que não são meus pacientes e concordaram em ser entrevistados neste livro. Suas percepções sobre dependência e recuperação foram um enorme acréscimo às minhas.

Tenho a sorte de me ver cercada por muitas pessoas ponderadas e criativas, cujas ideias colaboraram com este livro através de nossas conversas. Seria impossível enumerar todas, mas quero fazer um agradecimento especial a Kent Dunnington, Keith Humphreys, E. J. Iannelli, Rob Malenka, Matthew Prekupec, John Ruark e Daniel Saal.

Agradeço também a Robin Coleman por me fazer voltar a escrever, Bonnie Solow por acreditar no projeto, Deb McCarroll por fazer as ilustrações, e Stephen Morrow e Hannah Feeney por torná-lo realidade.

Por fim, nada seria possível sem o apoio do meu querido marido, Andrew. ▪

NOTAS

▶ Introdução

[1] Kent Dunnington, *Addiction and Virtue: Beyond the Models of Disease and Choice* (Downers Grove, IL: InterVasity Press Academic, 2011). Este é um maravilhoso tratado teológico e filosófico sobre adicção e fé.

▶ Capítulo 1: Nossas máquinas masturbatórias

[1] Anna Lembke, *Drug Dealer, MD: How Doctors Were Duped, Patients Got Hooked, and Why It's So Hard to Stop*, 1ª ed. (Baltimore: John Hopkins University Press, 2016.) Existem muitos livros excelentes sobre este assunto, incluindo *Pain Killer: An Empire of Deceit and the Origin of America's Opioid Epidemic*, de Barry Meier; *Dreamland: The True Tale of America's Opiate Epidemic*, de Sam Quinones; e *Dopesick: Dealers, Doctors and the Drug Company That Addicted America*, de Beth Macy. Cada um desses livros, inclusive o meu, explora as origens da epidemia de opioides por lentes ligeiramente diferentes.

[2] ASPPH Task Force on Public Health Initiatives to Address the Opioid Crisis, *Bringing Science to Bear on Opioids: Report and Recommendations*, Novembro de 2019.

[3] ASPPH Task Force on Public Health Initiatives to Address the Opioid Crisis, *Bringing Science to Bear on Opioids: Report and Recommendations*, Novembro de 2019.

[4] "Wayne Hall, What Are the Policy Lessons of National Alcohol Prohibition in the United States, 1920-1933?", *Addiction*, 105, n. 7 (2010): 1164-73, https://doi.org/10.1111/j.1360-0443.2010.02926.x.

5 Robert MacCoun, "Drugs and the Law: A Psychological Analysis of Drug Prohibition", *Psychological Bulletin*, 113(3) (1º de junho de 1993): 497-512, https://doi.apa.org/doiLanding?doi=10.1037%2F0033-2909.113.3.497. Existe uma considerável controvérsia e debate sobre o impacto da proibição da descriminalização e legalização das drogas psicoativas. A obra de Rob MacCoun sobre este tópico mescla economia, psicologia e filosofia política para um aprofundamento.

6 Bridget F. Grant, S. Patricia Chou, Tulshi D. Saha, Roger P. Pickering, Bradley T, Kerridge, W. June Ruan, Boji Huang e outros "Prevalence of 12-Month Alcohol Use, High-Risk Drinking, and DSM-IV Alcohol Use Disorder in the United States, 2001-2002 to 2012-2013: Results from the National Epidemiologic Survey on Alcohol and Related Conditions", *JAMA Psychiatry* 74, n. 9 (1º de setembro de 2017): 911-23, https://doi.org/10.1001/jamapsychiatry.2017.2161.

7 Anna Lembke, "Time to Abandon the Self-Medication Hypothesis in Patients with Psychiatric Disorders", *The American Journal of Drug and Alcohol, Abuse*, 38, n. 6 (2012): 524-29, https://doi.org/10.3109/0095 2990.2012.694532.

8 David T. Courtwright, *The Age of Addiction*: *How Bad Habits Became Big Business* (Cambridge, MA: Belknap Press, 2019), https://doi.org/10.4159/9780674239241. Este é um olhar profundo e erudito sobre a maneira como o crescente acesso a produtos e comportamentos adictivos através do tempo e das culturas contribuiu para o aumento de consumo.

9 Matthew Kohrman, Gan Quan, Liu Wennan e Robert N. Proctor, editores, *Poisonous Pandas: Chinese Cigarette Manufacturing in Critical Historical Perspectives* (Stanford, CA: Stanford University Press, 2018).

10 David T. Courtwright, "Addiction to Opium and Morphine", em *Dark Paradise: A History of Opiate Addiction in America* (Cambridge, MA: Harvard University Press, 2009), https://www.hup.harvard.edu/catalog.php?isbn =9780674005853&content=toc7. Este é outro livro fantástico do historiador David Courtwright, que traça as origens da epidemia de opioide através da história, incluindo o final dos 1800, quando os médicos prescreviam rotineiramente morfina para as donas de casa vitorianas, entre outros.

11 National Potato Council, *Potato Statistical Yearbook 2016*, acessado em 18 de abril de 2020, https://potatoassociation.org/wp-content/uploads/2018/01/2016-NPC-1.pdf.

[12] Annie Gasparro e Jessie Newman, "The New Science of Taste: 1,000 Banana Flavors", *The Wall Street Journal*, 31 de outubro de 2014. Veja também *The Age of Addiction: How Bad Habits Became Big Business*, de David T. Courtwright, para uma excelente discussão ampliada sobre as mudanças na indústria alimentícia.

[13] Shanthi Mendis, Tim Armstrong, Douglas Bettcher, Francesco Branca, Jeremy Lauer, Cecile Mace, Vladimir Poznyak, Leanne Riley, Vera da Costa e Silva, e Gretchen Stevens, *Global Status Report on Noncommunicable Diseases 2014* (World Health Organization, 2014), https://apps.who.int/iris/bitstream/handle/10665/148114/9789241564854_eng.pdf.

[14] Marie Ng, Tom Fleming, Margaret Robinson, Blake Thomson, Nicholas Graetz, Christopher Margono, Erin C. Mullany e outros, "Global, Regional, and National Prevalence of Overweight and Obesity in Children and Adults during 1980-2013: A Systematic Analysis for the Global Burden of Disease Study 2013", *The Lancet*, 384, n. 9945 (agosto de 2014): 766-81, https://doi.org/10.1016/S0140-6736(14)60460-8.

[15] Hannah Ritchie e Max Roser, "Drug Use", *Our World in Data*, dezembro de 2019, https://ourworldindata.org/drug-use.

[16] Anne Case e Angus Deaton, *Deaths of Despair and the Future of Capitalism* (Princeton, NJ: Princeton University Press, 2020), https://www.jstor.org/stable/j.ctvpr7rb2.

[17] "Capital Pains", *Economist*, 18 de julho de 2020. Para fontes originais, veja https://www.unep.org/resources/inclusive-wealth-report-2018.

▶ Capítulo 2: Fugindo do sofrimento

[1] Philip Rieff, *The Triumph of the Therapeutic: Uses of Faith after Freud* (Nova York: Harper and Row, 1966) [ed. bras. *O triunfo da terapêutica*. São Paulo: Brasiliense, 1990].

[2] Ross Douthat, *Bad Religion: How We Became a Nation of Heretics* (Nova York: Free Press, 2013).

[3] Marcia L. Meldrum, "A Capsule History of Pain Management", *JAMA*, 290, n. 18 (2003): 2470-75, https://doi.org/10.1001/jama.290.18.2470.

[4] Victoria K. Shanmugam, Kara S. Couch, Sean McNish e Richard L. Amdur, "Relationship between Opioid Treatment and Rate of Healing

in Chronic Wounds", *Wound Repair and Regeneration*, 25, n. 1 (2017): 120-30, https://doi.org/10.1111/wrr.12496.

5 Thomas Sydenham, "A Treatise of the Gout and Dropsy" em *The Works of Thomas Sydenham, M.D., on Acute and Chronic Diseases* (Londres, 1783), 254, https://books.google.com/books?id=iSxsAAAAMAAJ&printsec=-frontcover&source=gbs_ge_summary_r&cad=o#v=onepage&q&f=false.

6 Substance Abuse and Mental Health Services Administration, U.S Department of Health and Human Services, "Behavioral Health, United States, 2012", *HHS Publication*, n. (SMA) 13-4797, 2013, http://www.samhsa.gov/data/sites/default/files/2012-BHUS.pdf.

7 Bruce S. Jonas, Qiuping Gu e Juan R. Albertorio-Diaz, "Psychotropic Medication Use among Adolescents: United States, 2005-2010", *NCHS Data Brief*, n. 135 (dezembro 2013): 1–8.

8 OECD, "OECD Health Statistics", julho de 2020, http://www.oecd.org/els/health-systems/health-data.htm. Laura A. Pratt, Debra J. Brody, Qiuping Gu, "Antidepressant Use in Persons Aged 12 and Over: United States, 2005-2008", *NCHS Data Brief*, n. 76, outubro de 2011, https://www.cdc.gov/nchs/products/databriefs/db76.htm.

9 Brian J. Piper, Christy L. Ogden, Olapeju M. Simoyan, Daniel Y. Chung, James F. Caggiano, Stephanie D. Nichols e Kenneth L. McCall, "Trends in Use of Prescription Stimulants in the United States and Territories, 2006 to 2016", *PLOS ONE*, 13, n. 11 (2018), https://doi.org/10.1371/journal.pone.0206100.

10 Marcus A. Bachhuber, Sean Hennessy, Chinazo O. Cunningham e Joanna L. Starrels, "Increasing Benzodiazepine Prescriptions and Overdose Mortality in the United States, 1996-2013", *American Journal of Public Health*, 106, n. 4 (2016): 686-88, https://doi.org/10.2105/AJPH.2016.303061.

11 Aldous Huxley, *Brave New World Revisited* (New York: HarperCollins, 2004) [ed. bras. *Retorno ao admirável mundo novo*. Rio de Janeiro: Biblioteca Azul/Globo, 2021].

12 Neil Postman, *Amusing Ourselves in Death: Public Discourse in the Age of Show Business* (Nova York: Penguin Books, 1986).

13 John F. Helliwell, Haifang Huang e Shun Wang, "Chapter 2 – Changing World Happiness", *World Happiness Report* 2019, 20 de março de 2019, 10-46.

[14] Ayelet Meron Ruscio, Lauren S. Hallion, Carmen C. W. Lim, Sergio Aguilar-Gaxiola, Ali Al-Hamzawi, Jordi Alonso, Laura Helena Andrade e outros, "Cross-Sectional Comparison of the Epidemiology of *DSM-5* Generalized Anxiety Disorder across the Globe", *JAMA Psychiatry*, 74, n. 5 (2017): 465-75, https://doi.org/10.1001/jamapsychiatry.2017.0056.

[15] Qingqing Liu, Hairong He, Jin Yang, Xiaojie Feng, Fanfan Zhao e Jun Lyu, "Changes in the Global Burden of Depression from 1990 to 2017: Findings from the Global Burden of Disease Study", *Journal of Psychiatric Research*, 126 (junho de 2019): 134-40, https://pubmed.ncbi.nlm.nih.gov/31439359/.

[16] David G. Blanchflower e Andrew J. Oswald, "Unhappiness and Pain in Modern America: A Review Essay, and Further Evidence, on Carol Graham's *Happiness for All?*". Artigo para discussão do IZA Institute of Labor Economics, novembro de 2017.

[17] Robert William Fogel, *The Fourth Great Awakening and the Future Egalitarianism* (Chicago: University of Chicago Press, 2000).

▶ Capítulo 3: O equilíbrio prazer-sofrimento

[1] Kathleen A. Montagu, "Catechol Compounds in Rat Tissues and in Brains of Different Animals", *Nature*, 180 (1957): 244-45, https://www.nature.com/articles/180244a0.

[2] Bryon Adinoff, "Neurobiologic Processes in Drug Reward and Addiction", *Harvard Review of Psychiatry*, 12, n. 6 (2004): 305-20, https://doi.org/10.1080/10673220490910844.

[3] Qun-Yong Zhou e Richard D. Palmiter, "Dopamine-Deficient Mice are Severely Hypoactive, Adipsic and Aphagic", *Cell*, 83, n. 7 (1995): 1197-1209, https://doi.org/10.1016/0092-8674(95)90145-0.

[4] Valentina Bassareo e Gaetano Di Chiara, "Modulation of Feeding-Induced Activation of Mesolimbic Dopamine Transmission by Appetitive Stimuli and Its Relation to Motivational State", *European Journal of Neuroscience*, 11, n. 12 (1999): 4389-97, https://doi.org/10.1046/j.1460-9568.1999.00843.x.

[5] Dennis F. Fiorino, Ariane Coury e Anthony G. Phillips, "Dynamic Changes in Nucleus Accumbens Dopamine Efflux During the Coolidge

Effect in Male Rats", *The Journal of Neuroscience*, 17, n. 12 (1997): 4849-55, https://doi.org/10.1523/jneurosci.17-12-04849.1997.

[6] Gaetano Di Chiara e Assunta Imperato, "Drugs Abused by Humans Preferentially Increase Synaptic Dopamine Concentrations in the Mesolimbic System of Freely Moving Rats", *Proceedings of the National Academy of Sciences of the United States of America*, 85, n. 14 (1988): 5274-78. https://doi.org/10.1073/pnas.85.14.5274.

[7] Siri Leknes e Irene Tracey, "A Common Neurobiology for Pain and Pleasure", *Nature Reviews Neuroscience*, 9, n. 4 (2008): 314-20, https://doi.org/10.1038/nrn2333.

[8] Richard L. Solomon e John D. Corbit, "An Opponent-Process Theory of Motivation", *American Economic Review*, 68, n. 6 (1978): 12-24, https://brainmaster.com/software/pubs/brain/Solomon%20Corbit%20Opponent%20Process.pdf.

[9] Yinghui Low, Collin F. Clarke e Billy K. Huh, "Opioid-Induced Hyperalgesia: A Review of Epidemiology, Mechanisms and Management", *Singapore Medical Journal*, 53, n. 5 (2012): 357-60.

[10] Joseph W. Frank, Travis I. Lovejoy, William C. Becker, Benjamin J. Morasco, Christopher J. Koenig, Lilian Hoffecker, Hannah R. Dischinger e outros, "Patient Outcomes in Dose Reduction or Discontinuation of Long-Term Opioid Therapy: A Systematic Review", *Annals of Internal Medicine*, 167, n. 3 (2017): 181-91, https://doi.org/10.7326/M17-0598.

[11] Nora D. Volkow, Joanna S. Fowler e Gene-Jack Wang, "Role of Dopamine in Drug Reinforcement and Addiction in Humans: Results from Imaging Studies", *Behavioural Pharmacology*, 13, n. 5 (2002): 355-66, https://journals.lww.com/behaviouralpharm/Abstract/2002/09000/Role_of_dopamine_in_drug_reinforcement_and.8.aspx.

[12] George F. Koob, "Hedonic Homeostatic Dysregulation as a Driver of Drug-Seeking Behavior", *Drug Discovery Today: Disease Models*, 5, n. 4 (2008): 207-15, https://doi.org/10.1016/j.ddmod.2009.04.002.

[13] Jakob Linnet, Ericka Peterson, Doris J. Doudet, Albert Gjedde e Arne Møller, "Dopamine Release in Ventral Striatum of Pathological Gamblers Losing Money", *Acta Psychiatrica Scandinavica*, 122, n. 4 (2010): 326-33, https://doi.org/10.1111/j.1600-0447.2010.01591.x.

[14] Terry E. Robinson e Bryan Kolb, "Structural Plasticity Associated with Exposure to Drugs of Abuse", *Neuropharmacology*, 47, Supl. 1 (2004): 33-46, https://doi.org/10.1016/j.neuropharm.2004.06.025.

[15] Bryan Kolb, Grazyna Gorny, Yilin Li, Anne Noël Samaha e Terry E. Robinson, "Amphetamine or Cocaine Limits the Ability of Later Experience to Promote Structural Plasticity in the Neocortex and Nucleus Accumbens", *Proceedings of the National Academy of Sciences of the United States of America*, 100, n. 18 (2003): 10523-28, https://doi.org/10.1073/pnas.1834271100.

[16] Sandra Chanraud, Anne-Lise Pitel, Eva M. Müller-Oehring, Adolf Pfefferbaum e Edith V. Sullivan, "Remapping the Brain to Compensate for Impairment in Recovering Alcoholics", *Cerebral Cortex* 23 (2013): 97-104, https://pubmed.ncbi.nlm.nih.gov/22275479/; Changhai Cui, Antonio Noronha, Kenneth R. Warren, George K. Koob, Rajita Sinha, Mahesh Thakkar, John Matochik e outros, "Brain Pathways to Recovery from Alcohol Dependence", *Alcohol*, 49, n. 5 (2015): 432-52, https://doi.org/10.1016/j.alcohol.2015.04.006.

[17] Vincent Pascoli, Marc Turiault e Christian Lüscher, "Reversal of Cocaine-Evoked Synaptic Potentiation Resets Drug-Induced Adaptive Behaviour", *Nature*, 481 (2012): 71-71, https://doi.org/10.1038/nature10709.

[18] Henry Beecher, "Pain in Men Wounded in Battle", *Anesthesia & Analgesia*, 1947, https://doi.org/10.1213/00000539-194701000-00005.

[19] J. P. Fisher, D. T. Hassan, e N. O'Connor, "Case Report on Pain", *British Medical Journal*, 310, n. 6971 (1995): 70, https://www.ncbi.nlm.nih.gov/pmc/articles/PMC2548478/pdf/bmj00574-0074.pdf.

[20] O Dr. Tom Finucane é professor de medicina no John Hopkins, em Baltimore. Conheci seu trabalho quando lecionava ali como professora visitante. Foi durante um jantar com alguns dos seus alunos que escutei pela primeira vez esta frase e sabia que tinha que arrumar um jeito de incluí-la neste livro.

Capítulo 4: Jejum de dopamina

[1] Nora D. Volkow, Joanna S. Fowler, Gene-Jack Wang e James M. Swanson, "Dopamine in Drug Abuse and Addiction: Results from Imaging Studies and Treatment Implications", *Molecular Psychiatry*, 9, n. 6 (junho de 2004): 557-69, https://doi.org/10.1038/sj.mp.4001507.

[2] Sandra A. Brown e Marc A. Schuckit, "Changes in Depression among Abstinent Alcoholics", *Journal of Studies on Alcohol and Drugs*, 49, n. 5 (1988), 412-17, https://pubmed.ncbi.nlm.nih.gov/3216643/.

[3] Kenneth B. Wells, Roland Sturm, Cathy D. Sherbourne e Lisa S. Meredith, *Caring for Depression* (Cambridge, MA: Harvard University Press, 1996).

[4] Mark B. Sobell e Linda C. Sobell, "Controlled Drinking after 25 Years: How Important Was the Great Debate?", *Addiction*, 90, n. 9 (1995): 1149-53. Linda C. Sobell, John A. Cunningham e Mark B. Sobell, "Recovery from Alcohol Problems with and without Treatment: Prevalence in Two Population Surveys", *American Journal of Public Health*, 86, n. 7 (1996): 966-72.

[5] Roelof Eikelboom e Randelle Hewitt, "Intermittent Access to a Sucrose Solution for Rats Causes Long-Term Increases in Consumption", *Physiology & Behavior*, 165 (2016): 77-85, https://doi.org/10.1016/j.physbeh.2016.07.002.

[6] Valentina Vengeliene, Ainhoa Bilbao e Rainer Spanagel, "The Alcohol Deprivation Effect Model for Studying Relapse Behavior: A Comparison between Rats and Mice", *Alcohol*, 48, n. 3 (2014): 313-20, https://doi.org/10.1016/j.alcohol.2014.03.002.

Capítulo 5: Espaço, tempo e significado

[1] A primeira vez em que me deparei com o termo *autocomprometimento* foi neste artigo de Sally Satel e Scott O. Lilienfeld. Sally Satel e Scott O. Lillienfeld, "Addiction and the Brain-Disease Fallacy", *Frontiers in Psychiatry*, 4 (março de 2014): 1-11, https://doi.org/10.3389/fpsyt.2013.00141. Já era fã do trabalho de Satel havia algum tempo, e ali estava ela usando *autocomprometimento* para enfatizar "o amplo papel da atuação pessoal na perpetuação do ciclo de uso e recaída". Mas discordo da premissa básica deste artigo, que argumenta que nossa capacidade para se autocomprometer refuta o modelo de doença da adicção. Para mim, nossa necessidade de se autocomprometer conversa com a forte atração da adicção e com as mudanças cerebrais que a acompanham, consistentes com o modelo de doença. O economista Thomas Schelling também aborda o conceito de autocomprometimento, mas chama-o de "autogerenciamento" e "autocomando": "Self-Command in Practice, in Policy, and in a Theory of Rational Choice", *American Economic Review*, 74, n. 2 (1984): 1-11, https://econpapers.repec.org/article/aeaaecrev/v_3a74_3ay_3a1984_3ai_3a2_3ap_3a1-11.htm.

[2] John David Sinclair, "Evidence about the Use of Naltrexone and for Differente Ways of Using It in the Treatment of Alcoholism", *Alcohol and Alcoholism*, 36, n. 1 (2001): 2-10, https://doi.org/10.1093/alcalc/36.1.2.

[3] Anna Lembke e Niushen Zhang, "A Qualitative Study of Treatment-Seeking Heroin Users in Contemporary China", *Addiction Science & Clinical Practice,* 10, n. 23 (2015), https://doi.org/10.1186/s13722-015-0044-3.

[4] Jeffrey S. Chang, Jenn-Ren Hsiao e Che-Hong Chen, "*ALDH2* Polymorphism and Alcohol-Related Cancers in Asians: A Public Health Perspective", *Journal of Biomedical Science*, 24, n. 19 (2017): 1-10, https://doi.org/10.1186/s12929-017-0327-y.

[5] Magdalena Plecka Östlund, Olof Backman, Richard Marsk, Dag Stockeld, Jesper Lagergren, Finn Rasmussen e Erik Näslund, "Increased Admission for Alcohol Dependence after Gastric Bypass Surgery Compared with Restrictive Bariatric Surgery", *JAMA Surgery*, 148 n. 4 (2013): 374-77, https://doi.org/10.1001/jamasurg.2013.700.

[6] Jason L. Rogers, Silvia De Santis e Ronald E. See, "Extended Methamphetamine Self-Administration Enhances Reinstatement of Drug Seeking and Impairs Novel Object Recognition in Rats", *Psycopharmacology*, 199, n. 4 (2008): 615-24, https://doi.org/10.1007/S00213-008-1187-7.

[7] Laura E. O'Dell, Scott A. Chen, Ron T. Smith, Sheila E. Specio, Robert L. Balster, Neil E. Paterson, Athina Markou e outros, "Extended Access to Nicotine Self-Administration Leads do Dependence: Circadian Mesures, Withdrawal Measures, and Extinction Behavior in Rats", *The Journal of Pharmacology and Experimental Therapeutics*, 320, n. 1 (2007): 180-93, https://doi.org/10.1124/jpet.106.105270.

[8] Scott A. Chen, Laura E. O'Dell, Michael E. Hoefer, Thomas N. Greenwell, Eric P. Zorrilla e George F. Koob, "Unlimited Access to Heroin Self-Administration: Independent Motivational Markers of Opiate Dependence", *Neuropsychopharmacology*, 31, n. 12 (2006): 2692-707, https://doi.org/10.1038/sj.npp.1301008.

[9] Marcia Spoelder, Peter Hesseling, Annemarie M. Baars, José G. Lozemanvan't Klooster, Marthe D. Rotte, Louk J. M. J. Vanderschuren e Heidi M. B. Lesscher, "Individual Variation in Alcohol Intake Predicts Reinforcement, Motivation, and Compulsive Alcohol Use in Rats", *Alcoholism: Clinical & Experimental Research*, 39, n. 12 (2015): 2427-37, https://onlinelibrary.wiley.com/doi/10.1111/acer.12891.

[10] Serge H. Ahmed e George F. Koob, "Transition from Moderate to Excessive Drug Intake: Change in Hedonic Set Point", *Science*, 282, n. 5387 (1998):298-300, https://doi.org/10.1126/science.282.5387.298.

[11] Anne L. Bretteville-Jensen, "Addiction and Discounting", *Journal of Health Economics*, 18, n. 4 (1999): 393-407, https://doi.org/10.1016/S0167-6296(98)00057-5.

[12] Warren K. Bickel, Benjamin P. Kowal e Kirstin M. Gatchalian, "Understanding Addiction as a Pathology of Temporal Horizon", *The Behavior Analyst Today*, 7, n. 1 (2006): 32-47, https://doi.org/10.1037/h0100148.

[13] Nancy M. Petry, Warren K. Bickel e Martha Arnett, "Shortened Time Horizons and Insensiviy to Future Consequences in Heroin Addicts", *Addiction*, 93, n. 5 (1998): 729-38, https://doi.org/10.1046/j.1360-0443.1998.9357298.x.

[14] Samuel M. McClure, David I. Laibson, George Loewenstein e Jonathan D. Cohen, "Separate Neural Systems Value Immediate and Delayed Monetary Rewards", *Science*, 306, n. 5695 (2004): 503-7, https://doi.org/10.1126/science.1100907.

[15] Dandara Ramos, Tânia Victor, Maria L. Seidl-de-Moura e Martin Daly, "Future Discounting by Slum-Dwelling Youth versus University Students in Rio de Janeiro", *Journal of Research on Adolescence*, 23, n. 1 (2013): 95-102, https://doi.org/10.1111/j.1532-7795.2012.00796.x.

[16] Robert William Fogel, *The Fourth Great Awakening and the Future of Egalitarianism* (Chicago: University of Chicago Press, 2000). Esses dados sobre lazer e trabalho nos Estados Unidos vêm do livro de Fogel, uma análise inspiradora da transformação econômica, social e espiritual nos Estados Unidos nos últimos quatrocentos anos.

[17] OCDE, "Special Focus: Measuring Leisure in OECD Countries", in *Society at a Glance 2009*: *OECD Social Indicators* (Paris: OECD Publishing, 2009), https://doi.org/10.1787/soc_glance-2008-en.

[18] David R. Francis, "Why High Earners Work Longer Hours", *National Bureay of Economic Research*, setembro de 2020, http://www.nber.org/digest/jul06/w11895.html.

[19] Mark Aguiar, Mark Bils, Kerwin K. Charles e Erik Hurst, "Leisure Luxuries and the Labor Supply of Young Men", documento de trabalho do *National Bureau of Economic Research*, junho de 2017, https://doi.org/10.3386/w23552.

20 Eric J. Iannelli, "Species of Madness", *The Times Literary Supplement*, 22 de setembro de 2017.

21 Alcorão: Verso 24:31, acessado em 2 de julho de 2020, http://corpus.quran.com/translation.jsp?chapter= 24&verse=31.

22 The Church of Jesus Christ of Latter-day Saints, "Dress and Appearance", acesso em 2 de julho de 2020, https://www.churchofjesuschrist.org/callings/missionary/dress-and-appearance?lang=eng.

23 "Gluten-Free Food Market Value in the United States from 2014 to 2025", *Statista*, 20 de novembro de 2019, acessado em 2 de julho de 2020, https://www.statista.com/statistics/884086/us-gluten-free-food-market-value/.

24 Yuichi Shoda, Walter Mischel e Philip K. Peake, "Predicting Adolescent Cognitive and Self-Regulatory Competencies from Preschool Delay of Gratification: Identifying Diagnostic Conditions", *Developmental Psychology*, 26, n. 6 (1990): 978-86, https://doi.org/10.1037/0012-1649.26.6.978.

25 Roy F. Baumeister, "Where Has Your Willpower Gone?", *New Scientist*, 213, n. 2849 (2012): 30-31, https://doi.org/10.1016/s0262-4079(12)60232-2.

26 Immanuel Kant, "Groundwork of the Metaphysic of Morals (1785)", *Cambridge Texts in the History of Philosophy* (Cambridge: Cambridge University Press, 1998).

▸ Capítulo 6: Uma balança quebrada?

1 John Strang, Thomas Babor, Jonathan Caulkins, Benedikt Fischer, David Foxcroft e Keith Humphreys, "Drug Policy and the Public Good: Evidence for Effective Interventions", *The Lancet*, 379 (2012): 71-83.

2 Centers for Disease Control and Prevention, "U.S. Opioid Dispensing Rate Maps", acessado em 2 de julho de 2020, https://www.cdc.gov/drugoverdose/rxrate-maps/index.html.

3 Robert Whitaker, *Anatomy of an Epidemic: Magic Bullets, Psychiatric Drugs, and the Astonishing Rise of Mental Illness in America* (Nova York: Crown, 2010) [ed. bras. *Anatomia de uma epidemia*. Rio de Janeiro: Fiocruz, 2017].

4 Anthony F. Jorm, Scott B. Patten, Traolach S. Brugha e Ramin Mojtabai, "Has Increased Provision of Treatment Reduced the Prevalence of Common

Mental Disorders? Review of the Evidence from Four Countries", *World Psychiatry*, 16, n. 1 (2017): 90-99, https://doi.org/10.1002/wps.20388.

5 Larry F. Chu, David J. Clark e Martin S. Angst, "Opioid Tolerance and Hyperalgesia in Chronic Pain Patients after One Month of Oral Morphine Therapy: A Preliminary Prospective Study", *The Journal of the International Association for the Study of Pain* , 7, n. 1 (2006): 43-48, https://www.jpain. org/article/S1526-5900(05)00826-6/references.

6 Gretchen LeFever Watson, Andrea Powell Arcona e David O. Antonuccio, "The ADHD Drug Abuse Crisis on America College Campuses", *Ethical Human Psychology and Psychiatry*, 17, n. 1 (2015), https://doi. org/10.1891/1559-4343.17.1.5.

7 Rif S. El-Mallakh, Yonglin Gao e R. Jeannie Roberts, "Tardive Disphoria: The Role of Long Term Antidepressant Use In-Inducing Chronic Depression", *Medical Hypotheses*, 76, n. 6 (2011): 769-73, https://doi. org/10.1016/j.mehy.2011.01.020.

8 Peter D. Kramer, *Listening to Prozac* (Nova York: Viking Press, 1993) [ed. bras. *Ouvindo o Prozac*. Rio de Janeiro: Record, 1994].

9 LaJeana D. Howie, Patricia N. Pastor e Susan L. Lukacs, "Use of Medication Prescribed for Emotional or Behavioral Difficulties among Children Aged 6-17 years in the United States, 2011-2012", *Health Care in the United States: Developments and Considerations*, 5, n. 148 (2015): 25-35.

10 Alan Schwarz, "Thousands of Toddlers Are Medicated for A.D.H.D., Report Finds, Raising Worries", *The New York Times*, 16 de maio de 2014.

11 Edmund C. Levin, "The Challenges of Treating Developmental Trauma Disorder in a Residential Agency for Youth", *The Journal of the American Academy of Psychoanalysis and Dynamic Psychiatry*, 37, n. 3 (2009): 519-38, https://doi.org/10.1521/jaap.2009.37.3.519.

12 Casey Crump, Kristina Sundquist, Jan Sundquist e Marilyn A. Winkleby, "Neighborhood Deprivation and Psychiatric Medication Prescription: A Swedish National Multilevel Study", *Annals of Epidemiology*, 21, n. 4 (2011): 231-37, https://portal.research.lu.se/en/publications/neighborhood-deprivation-and-psychiatric-medication-prescription-.

13 Robin Ghertner e Lincoln Groves, "The Opioid Crisis and Economic Opportunity: Geographic and Economic Trends", *ASPE Research Brief* from the U.S. Department of health and Human Services, 2018, https://aspe.hhs. gov/system/files/pdf/259261/ASPEEconomicOpportunityOpioidCrisis.pdf.

[14] Mark J. Sharp e Thomas A. Melnik, "Poisoning Deaths Involving Opioid Analgesics: New York State, 2003-2012", *Morbidity and Mortality Weekly Report*, 64, n. 14 (2015): 377-80; P. Coolen, S. Best, A. Lima, J. Sabel e L. J. Paulozzi, "Overdose Deaths Involving Prescription Opioids among Medicaid Enrollees: Washington, 2004-2007", *Morbidity and Mortality Weekly Report*, 58, n. 42 (2009): 1171-75.

[15] Alexandrea E. Hatcher, Sonia Mendoza e Helena Hansen, "At the Expense of a Life: Race, Class, and the Meaning of Buprenorphine in Pharmaceutical 'Care'", *Substance Use & Misuse*, 53, n. 2 (2018): 301-10, https://doi.org/10.1080/10826084.2017.1385633.

▸ Capítulo 7: Pressionando o lado do sofrimento

[1] Petr Šrámek, Marie Šimečková, Ladislav Janský, Jarmila Šavlíková e Stanislav Vybíral, "Human Pshysiological Responses to Immersion into Water of Different Temperatures", *European Journal of Applied Physiology*, 81 (2000): 436-42, https://doi.org/10.1007/s004210050065.

[2] Christina G. von der Ohe, Corinna Darian-Smith, Craig C. Garner e H. Craig Heller, "Ubiquitous and Temperature-Dependent Neural Plasticity in Hibernators", *The Journal of Neuroscience*, 26, n. 41 (2006): 10590-98, https://doi.org/10.1523/JNEUROSCI.2874-06.2006.

[3] Russell M. Church, Vincent LoLordo, J. Bruce Overmier, Richard L. Solomon, e Lucille H. Turner, "Cardiac Responses to Shock in Curarized Dogs: Effects of Shock Intensity and Duration, Warning Signal, and Prior Experience with Shock", *The Journal of Comparative and Physiological Psychology*, 62, n. 1 (1966): 1-7, https://doi.org/10.1037/h0023476; Aaron H. Katcher, Richard L. Solomon, Lucille H. Turner, Vincent LoLordo, J. Bruce Overmier e Robert A. Rescorla, "Heart Rate and Blood Pressure Responses to Signaled and Unsignaled Shocks: Effects of Cardiac Sympathectomy", *Journal of Comparative and Physiological Psychology*, 68, n. 2 (1969): 163-74; Richard L. Solomon e John D. Corbit, "An Opponent-Process Theory of Motivation", *The American Economic Review*, 68, n. 6 (1978): 12-24.

[4] R. S. Bluck, *Plato's* Phaedo: *A Translation of Plato's* Phaedo (London: Routledge, 2014).

[5] Helen B. Taussig, "Death from Lightning and the Possibility of Living Again", *American Scientist*, 57, n. 3 (1969): 306-16.

[6] Edward J. Calabrese e Mark P. Mattson, "How Does Hormesis Impact Biology, Toxicology, and Medicine?", *npj Aging and Mechanisms of Disease*, 3, n. 13 (2017), https://doi.org/10.1038/s41514-017-0013-z.

[7] James R. Cypser, Pat Tedesco e Thomas E. Johnson, "Hormesis and Aging in *Caenorhabditis Elegans*", *Experimental Gerontology*, 4, n. 10 (2006): 935-39, https://doi.org/10.1016/j.exger.2006.09.004.

[8] Nadège Minois, "The Hormetic Effects of Hypergravity on Longevity and Aging", *Dose-Response*, 4, n. 2 (2006), https://doi.org/10.2203/dose-response.05-008.minois. Quando li este estudo, imaginei passar de duas a quatro semanas num Gravitron, no meu parque de diversões local, aquele grande barril vertical que gira 33 rotações por minuto, criando um efeito centrífugo equivalente a quase 3G antes que o chão suma. Considerando que a média de vida da drosófila é de 50 dias, isto equivale a mais de 50 anos humanos no Gravitron. Coitadinhas!

[9] Shizuyo Sutou, "Low-Dose Radiation form A-Bombs elongated Lifespan and Reduced Cancer Mortality Relative to Un-Irradiated individuals", *Genes and Environment*, 40, n. 26 (2018), https://doi.org/10.1186/s41021-018-0114-3.

[10] John B. Cologne e Dale L. Preston, "Longevity of Atomic-Bomb Survivors", *The Lancet*, 356, n. 9226 (22 de julho de 2000): 303-7, https://doi.org/10.1016/S0140-6736(00)02506-x.

[11] Mark P. Mattson e Ruiqian Wan, "Beneficial Effects of Intermittent Fasting and Caloric Restriction on the Cardiovascular and Cerebrovascular Systems", *Journal of Nutritional Biochemistry*, 16, n. 3 (2005): 129-37, https://pubmed.ncbi.nlm.nih.gov/15741046/.

[12] Aly Weisman e Kristen Griffin, "Jimmy Kimmel Lost a Ton of Weight on This Radical Diet", *Business Insider India*, 9 de janeiro de 2016.

[13] Anna Lembke e Amer Raheemullah, "Addiction and Exercise", em *Lifestyle Psychiatry: Using Exercise, Diet and Mindfulness to Manage Psychiatric Disorders*, ed. Doug Noordsy (Washington, DC: American Psychiatric Publishing, 2019).

[14] Daniel T. Omura, Damon A. Clark, Aravinthan D. T. Samuel e H. Robert Horvitz, "Dopamine Signaling Is Essential for Precise Rates of Locomotion by *C. elegans*", *PLOS ONE*, 7, n. 6 (2012), https://doi.org/10.1371/journal.pone.0038649.

[15] Shu W. Ng e Barry M. Popkin, "Time Use and Physical Activity: A Shift Away from Movement Across the Glove", *Obesity Reviews*, 13, n. 8 (agosto de 2012): 659-80, https://doi.org/10.1111/j.1467-789x.2011.00982.x.

[16] Mark P. Mattson, "Energy Intake and Exercise as Determinants of Brain Health and Vulnerability to Injury and Disease", *Cell Metabolism*, 16, n. 6 (2012): 706-22, https://doi.org/10.1016/j.cmet.2012.08.012.

[17] B. K. Pedersen e B. Saltin, "Exercise as Medicine: Evidence for Prescribing Exercise as Therapy in 26 Different Chronic Diseases", *Scandinavian Journal of Medicine & Science in Sports*, 25, n. S3 (2015): 1-72.

[18] Tim Wu, "The Tyranny of Convenience", *The New York Times*, 6 de fevereiro de 2018.

[19] Hippocrates, *Aphorisms*, acessado em 8 de julho de 2020, http://classics.mit.edu/Hippocrates/aphorisms.1.i.html.

[20] Christian Sprenger, Ulrike Bingel e Christian Büchel, "Treating Pain with Pain: Supraspinal Mechanism of Endogenous Analgesia Elicited by Heterotopic Noxious Conditioning Stimulation", *The Journal of the International Association for the Study of Pain*, 152, n. 2 (2011): 428-39, https://doi.org/10.1016/j.pain.2010.11.018.

[21] Liu Xiang, "Inhibiting Pain with Pain: A Basic Neuromechanism of Acupuncture Analgesia", *Chinese Science Bulletin*, 46, n. 17 (2001): 1485-94, https://doi.org/10.1007/BF03187038.

[22] Jarred Younger, Noorulain Noor, Rebecca McCue e Sean Mackey, "Low-Dose Naltrexone for the Treatment of Fibromyalgia: Findings of a Small, Randomized, Double-Blind, Placebo-Controlled, Counterbalanced, Crossover Trial Assessing Daily Pain Levels", *Arthritis and Rheumatism*, 65, n. 2 (2013): 529-38, https://doi.org/10.1002/art.37734.

[23] Ugo Cerletti, "Old and New Information about Electroshock", *The American Journal of Psychiatry*, 107, n. 2 (1950): 87-94, https://doi.org/10.1176/ajp.107.2.87.

[24] Amit Singh e Sujita Kumar Kar, "How Electroconvulsive Therapy Works?: Understanding the Neurobiological Mechanisms". *Clinical Psychopharmacology and Neuroscience*, 15, n. 3 (2017): 210-21, https://doi.org/10.9758/cpn.2017.15.3.210.

[25] Mark Synnott, *The Impossible Climb*: *Alex Honnold, El Capitan, and the Climbing Life* (Nova York: Dutton, 2018).

26 Chris M. Sherwin, "Voluntary Wheel Running: A Review and Novel Interpretation", *Animal Behaviour*, 56, n. 1 (1998): 11-27, https://doi.org/10.1006/anbe.1998.0836.

27 Johanna H. Meijer e Yuri Robbers, "Wheel Running in the Wild", *Proceedings of the Royal Society B: Biological Sciences*, 7 de julho de 2014, https://doi.org/10.1098/rspb.2014.0210.

28 Daniel Saal, Yan Dong, Antonello Bonci e Robert C. Malenka, "Drugs of Abuse and Stress Trigger a Common Synaptic Adaptation in Dopamine Neurons", *Neuron*, 37, n. 4 (2003): 577-82, https://doi.org/10.1016/S0896-6273(03)00021-7.

29 Ingmar H. A. Franken, Corien Zijlstra e Peter Muris: "Are Non-pharmacological Induced Rewards Related to Anhedonia: A Study Among Skydivers", *Progress in Neuro-Psychopharmacology and Biological Psychiatry*, 30, n. 2 (2006): 297-300, https://doi.org/10.1016/j.pnpbp.2005.10.011.

30 Kate Knibbs, "All the Gear an Ultramarathon Legend Brings with Him on the Trail", *Gizmodo*, 29 de outubro de 2015, https://gizmodo.com/all-the-gear-an-ultramarathon-legend-brings-with-him-on-1736088954.

31 Mark Synnott, "How Alex Honnold Made 'The Ultimate Climb' without a Rope", *National Geographic*, acessado em 8 de julho de 2020, https://www.nationalgeographic.com/magazine/article/alex-honnold-made-ultimate-climb-el-capitan-without-rope.

32 Jeffrey B. Kreher e Jennifer B. Schwartz, "Overtraining Syndrome: A Practical Guide", *Sports Health: A Multidisciplinary Approach*, 4, n. 2 (2012), https://doi.org/10.1177/1941738111434406.

33 David R. Francis, "Why High Earners Work Longer Hours", compilação do *National Bureau of Economic Research*, acessado em 5 de fevereiro de 2021, https://www.nber.org/digest/jul06/w11895.html.

▸ Capítulo 8: Honestidade radical

1 Silvio José Lemos Vasconcellos, Matheus Rizzatti, Thamires Pereira Barbosa, Bruna Sangoi Schmitz, Vanessa Cristina Nascimento Coelho e Andrea Machado, "Understanding Lies Based on Evolutionary Psychology: A Critical Review", *Trends in Psychology*, 27, n. 1 (2019): 141-53, https://doi.org/10.9788/TP2019.1-11.

[2] Michel André Maréchal, Alain Cohn, Giuseppe Ugazio e Christian C. Ruff, "Increasing Honesty in Humans with Noninvasive Brain Stimulation", *Proceedings of the National Academy of Sciences of the United Staters of America*, 114, n. 17 (2017): 4360-64, https://doi.org/10.1073/pnas.1614912114.

[3] A oxitocina também provoca liberação de serotonina (5HT) no principal destino da dopamina – o núcleo *accumbens* –, e essa liberação de serotonina no nucleus *accumbens* é mais importante do que a liberação de dopamina para o estímulo de comportamentos "pró-sociais". No entanto, provavelmente a simultânea liberação de dopamina é o que torna os comportamentos pró-sociais potencialmente adictivos. Lin W. Hung, Sophie Neuner, Jai S. Polepalli, Kevin T. Beier, Matthew Wright, Jessica J. Walsh, Eastman M. Lewis e outros "Gating of Social Reward by Oxytocin in the Ventral Tegmental Area", *Science*, 357, n. 6358 (2017): 1406-11, https://doi.org/10.1126/science.aan4994.

[4] Seven E. Tomek, Gabriela M. Stegmann e M. Foster Olive, "Effects of Heroin on Rat Prosocial Behavior", *Addiction Biology*, 24, n. 4 (2019): 676-84, https://doi.org/10.1111/adb.12633.

[5] *Twelve Steps and Twelve Traditions* (Nova York: Alcoholics Anonymous World Services).

[6] Donald W. Winnicott, "Ego Distortion in Terms of True and False Self", em *The Maturational Process and the Facilitating Environment: Studies in the Theory of Emotional Development* (Nova York: International Universities Press, 1960), 140-57.

[7] Mark Epstein, Going *on Being: Life at the Crossroads of Buddhism and Psychotherapy* (Boston: Wisdom Publications, 2009).

[8] Celeste Kidd, Holly Palmeri e Richard N. Aslin, "Rational Snacking: Young Children's Decision-Making on the Marshmallow Task is Moderated by Beliefs about Environmental Reliability", *Cognition*, 126, n. 1 (2013): 109-14, https://doi.org/10.1016/j.cognition.2012.08.004.

[9] Warren K. Bickel, A. George Wilson, Chen Chen, Mikhail N. Koffarnus e Christopher T. Franck, "Stuck in Time: Negative Income Shock Constricts the Temporal Window of Valuation Spanning the Future and the Past", *PLOS ONE*, 11, n. 9 (2016): 1-12, https://doi.org/10.1371/journal.pone.0163051.

▸ Capítulo 9: Vergonha pró-social

[1] Mark J. Eldund, Katherine M. Harris, Harold G. Koenig, Xiatong Han, Greer Sullivan, Rhonda Mattox e Lingqi Tang, "Religiosity and Decreased Risk of Substance Use Disorders: Is the Effect Mediated by Social Support or Mental Health Status?", *Social Psychiatry and Psychiatric Epidemiology*, 45 (2010): 827-36, https://doi.org/10.1007/s00127-009-0124-3.

[2] Laurence R. Iannaccone, "Sacrifice and Stigma: Reducing Free-Riding in Cults, Communes, and Other Collectives", *Journal of Political Economy*, 100, n. 2 (1992): 271-91.

[3] Laurence R. Iannaccone, "Why Strict Churches Are Strong", *American Journal of Sociology*, 99, n. 5 (1994): 1180-1211, https://doi.org/10.1086/230409.

ÍNDICE REMISSIVO

abstinência

e objetivo de moderação no uso de droga, 87

efeito da violação, 87

estrutura da DOPAMINA, na, 77-81

exigida para a homeostase, 79

papel da, na recuperação, 214

recaída seguida a períodos de, 60

reconfigurar o circuito da recompensa, 78, 80, 214

se fartar de álcool assim que, 87

tempo necessário para, 79-80

abundância no mundo moderno, 9, 68

abuso sexual, 32-33

aceitação, 199

acesso como fator de risco para dependência, 25-27, 28-29, 35-36

acupuntura, 145-146

Adderall, 47-48, 124-125

anfetamina

crescentes taxas de prescrição, 44

experiências de pacientes com, 38-39, 46-48

liberação de dopamina realizada por, 53-54

questões da eficácia de, 125

risco de dependência, 124

ADHD Drug Abuse Crisis on American College Campuses, The (Watson), 125

adicção

as drogas a que não se pode abster, 87

o sofrimento, 151-158, 214

de roedores, a roda de corrida, 152-155

definição de, 23

e a optogenética, 66

e moderação no uso de droga, 87-88, 105-107

e motivação para buscar a recuperação, 102

e novos caminhos sinápticos na recuperação, 66

e recaída, 60

e reduzida sensibilidade a recompensas, 59-60

e tolerância (neuroadaptação), 56-60

fatores de risco para, 25-29

impacto dos exercícios em, 142-144

pobreza como fator de risco para, 103

potencial para, medido pela dopamina, 9-10, 53

predisposição genética a, 87

taxas crescentes de, 35

trocar uma por outra, 80-81, 98

vulnerabilidade, 66

adicção a sexo

e chats, 32

e honestidade nos relacionamentos, 171-172

estimulação elétrica em, 30-32, 33-34

estratégias categóricas para, 107-109

experiência de Jacob com, 18-20, 23-25, 30-32, 33-34, 89-91, 107-108, 113-114, 171-172

Admirável mundo novo revisitado (Huxley), 45

África do Sul, 50

Aguiar, Mark, 104

Ahmed, S. H., 100

álcool

abstinência de, 79-80

adicção a, 26

capacidade de mudança cerebral permanente, 65, 66

e cirurgias para perda de peso, 98

e depressão, 79-80

e dissulfiram como meio de auto-comprometimento, 96-97

e envolvimento religioso, 197-198

e época da Lei Seca, 26

e estratégias físicas para autocomprometimento, 93-94

e naltrexona como meio de auto-comprometimento, 95-96

experiências de pacientes com, 93-94, 112-113, 162-165

impacto no acesso ao uso de, 100

incidência de doenças atribuídas a, 35

sintomas na retirada de, 80

Alcoólicos Anônimos

12 Passos do, 176-178, 199, 200

como um modelo para vergonha pró-social, 198-205

companheirismo solidário de, 205

críticas ao, 203-204

e bens de clube, 201-205

e "drunkalogues", 174

e pessoas, lugares e coisas (sugestões), 61

e recaídas, 202, 203, 204-205

ênfase na abstinência de, 86

honestidade enfatizada por, 176

oportunistas em, 203-204

responsabilidade enfatizada por, 176

rigidez em, 203, 204-205

Alcorão, 108-109

alegria em prazeres mais simples, 60, 81, 213-214

Alemanha, 44

alprazolam, 29, 44, 124

alucinógenos, 111

Ambien, 47-48

América do Norte, 49

amígdala, 150

Amusing Ourselves to Death (Postman), 45

anestesia, 43

anfetaminas

e fenômeno da desvalorização por atraso, 101

liberação de dopamina efetuada por, 53-54

anedonia, 59-60, 156

ansiedade
ansiedade mediada pela retirada, 81-82
como sintoma da retirada, 60
da autora, 177-178
durante o jejum de dopamina, 84
e balança dor-sofrimento, 67
e consumo de *cannabis*, 77-78, 81-82, 85-86
em países de alta renda versus baixa renda, 49
experiências dos pacientes com, 37-39, 45-46, 46-48, 73-74, 85-86
falta de autocuidado básico confundida com, 46-48
medicamentos para, 47-48, 124
prevalência de sintomas de, 124-125

ansiolíticos, 124

Antártida, nadando perto da, 156

antecipação e desejo, ciclo de, 61-64

antidepressivos
e prevalência de sintomas de humor, 123
impactos na experiência emocional, 125
prevalência de uso, 43-44
problemas de tolerância/dependência com, 124

apoptose, 141

aprendizagem, descarga de dopamina aumentada pela, 65-66

assistência médica acessível, 35-36

Associação de Escolas e Programas em Saúde Pública (ASPPH), 25-26

ataque nuclear no Japão (1945), 141

Ativan, 47, 48

autoavaliação, 201

autocomprometimento, 89-114
como meio de liberdade, 114
e criação de barreiras para droga de escolha, 91-92
e experimento de marshmallow de Stanford, 111-112
estratégias categóricas para, 107-114
estratégias cronológicas para, 99-107
estratégias físicas para, 92-99, 112
experiências de pacientes com, 89-91
limitações, 93-94, 109-110
sobre, 91-92, 214

autocuidado, falta de, 46-48

automutilação, adicção a, 157-158

autorrevelações manipuladoras, 173-174

avós com adicção, 26-27

Austrália, 44, 124

Bad Religion (Douthat), 40-41

balança prazer-sofrimento, 51-69
e aprendizagem dependente de sugestão, 61-64
e buprenorfina, 115-116
e busca do prazer como fonte de dor, 68-69, 214

e desfrute de prazeres simples, 60, 81, 213-214

e incapacidade de conseguir a homeostase, 122

e significado atribuído a experiências, 66-67

e tolerância (neuroadaptação), 56-60

impacto no uso de droga na, 57-60

medicamentos para restaurar, 122-129

papel de dizer a verdade na, 68

ponto de partida individual na, 66

reprogramação pelos opioides da, 58-59

sistema autorregulatório da, 54-56

veja também "pressionando o lado do sofrimento", 181-183

barreiras para hiperconsumo compulsivo. *Veja* autocomprometimento

batatas fritas, 28-29

batimentos cardíacos após exposição a dor, 138, 139, 140

bebedeira após abstinência, 86-87

Beecher, Henry Knowles, 67

Bélgica, 49

bens de clube, 201-205, 209

benzodiazepínicos, 44, 80, 124

Bickel, Warren K., 101-102, 182

Bini, Lucino, 146-148

Bretteville-Jensen, Anne Line, 101

British Medical Journal, 67

Buda, 144

buprenorfina, 115-116, 121-122, 123-124, 128

C. elegans, 143

cachorros, estudo da resposta à dor, 138-140

Calabrese, Edward J., 141

Caminho do Meio defendido por Buda, 144

Canadá, 44, 49, 124

câncer, 141

cannabis

abstinência de, 77-78, 102

capacidade de mudar o cérebro permanentemente, 65

e ansiedade, 77, 81-82, 84-85

e autocomprometimento, 211-212

e a estrutura DOPAMINA, 76-77

e maconha medicinal, 110

e *mindfulness*, 81-82

experiências de pacientes com, 73-74, 105-107, 118-121, 211-212

objetivos dos consumidores de, 73-75

potência da, 28

retirada da, 77-78

reunião de dados sobre o consumo de, 74

uso diário de, 74-75

capitalismo límbico, 27

Carlson, Arvid, 52

Case, Anne, 35-36

causa e efeito, capacidade comprometida de avaliar, 76

células gliais, nascimento de, 142

Centro Nacional para Estatística de Saúde, 127

cérebro
adaptado para escassez, 68
amígdala, 150
área ventral tegmental, 53
capacidade da droga para mudar permanentemente, 64-65
córtex pré-frontal, 53, 102, 167-168
e abundância no mundo moderno, 68
e crescimento neuronal, 136-137
e memórias codificadas de recompensas e sugestões, 64
e neurogênese, 142, 153
e novos caminhos sinápticos na recuperação, 66
e transmissão de dopamina, 51-52
equilíbrio mantido no (*veja* homeostase no cérebro)
hipocampo, 68
impacto da descarga de dopamina no aprendizado, 65-66
neurotransmissores, 51-52, 136
núcleo *accumbens*, 53
veja também circuitos de recompensa no cérebro

Cerletti, Ugo, 147-148
cetamina, 29, 111
China, 44, 50
chocolate, liberação de dopamina efetuada por, 53-54
cigarros e nicotina
acesso a, 27-28
cigarros eletrônicos/ *wax pens*, 28, 110

e a experiência de Jacob na dependência de sexo, 20
e o fenômeno da desvalorização por atraso, 101
impacto do acesso no uso do, 100
liberação de dopamina efetuada por, 53-54

circuitos de recompensa no cérebro, 53
e atrofia do córtex pré-frontal, 102-103
e avaliação do potencial aditivo de drogas/comportamentos, 53
e balança prazer-sofrimento, 54
e impacto da aprendizagem na liberação de dopamina, 65-66
e negação, 166
papel da oxitocina, 172
reconfiguração por abstinência, 77-80, 214
tempo necessário para reconfiguração, 80

cirurgia, efeito de medicamentos para dor na recuperação de, 43
clonazepam, 124
cocaína
condicionamento (Pavloviano) clássico,
e estratégias cronológicas para autocomprometimento, 99-100
liberação de dopamina efetuada por, 53-54
revertendo mudanças cerebrais causadas por, 66
sensibilização, 64-65
cofres de cozinha, 94

comida
adicção a, 87, 97-99
e cirurgia para perda de peso, 97-99
processada, 28-29
usada para lidar com emoções difíceis, 195-197
computador, tempo gasto no, 104
conectividade promovida por honestidade, 171-174, 183
conexões humanas íntimas favorecidas pela honestidade, 171-174, 208, 214
confiabilidade, 182
conscientização cultivada pela honestidade radical, 165-171, 214
consequências do consumo de drogas, 76-77
consumo, consumismo, adicção a, 30
contar nossas experiências, valor de, 166-167
contenção, símbolos de, 112-113
Corbit, John, 56
Coreia, 44
corrida, adicção a, 157
cortar, adicção a se, 157-158
córtex pré-frontal, 53, 102-103, 167-168
Courtwright, David, 27
Crepúsculo, saga, 21, 57
crianças
drogas psiquiátricas prescritas para, 127
e o experimento de marshmallow de Stanford, 111-112, 181

e trauma na primeira infância, 41-42
mentiras das, 161
poupar da adversidade, 41-42
quebrar promessas para, 111-112
culpar, 178
cultura do cancelamento, 210

desejos
dependentes de sugestão, 61-64
depois do prazer, 56
e balança prazer-sofrimento do cérebro, 10
e buprenorfina, 115
Deaton, Angus, 35-36
deficiências, entendendo, 201
deificação do demonizado, 110-11
Departamento de Saúde e Serviços Humanos dos Estados Unidos, 128
dependência. *Veja* adicção
dependência cruzada, 80-81
depressão,
incidência crescente de, 49
e balança prazer-sofrimento, 66
e uso de álcool, 80-81
experiência de pacientes com, 45
tomando medicamentos para, 132
desconforto, intolerância ao, 45
despersonalização, 179
desrealização, 179
"Deus Interior", teologia, 40-41
diazepam, 80
dieta como fator de risco, 35
dietas, 109-110
Dinamarca, 44, 49

disforia, 60

disforia, recaída levada por, 60

dispositivos eletrônicos pessoais, 45-46

dissimulação. *Veja* mentir e dissimulação

dissulfiram como meio de autocomprometimento, 96-97

distrações

busca ativa de, 45-46, 211

e dispositivos pessoais, 45-46

e evasiva da dor, 48-49

e jejuns de dopamina, 83-84

divulgação pornô, 173-174

doença mental

como fator de risco para adicção, 27

falta de autocuidado básico confundida com, 46-48

prevalência de sintomas de, 123-124

dopamina

déficit de, 58, 62, 79, 157

funções da, 52-53

identificação da, 52

receptores de, 52, 59

usada para mensurar potencial aditivo, 9-10, 53

veja também circuitos de recompensa no cérebro

DOPAMINA, estrutura da, 74-88

D significa dados, 74-75

O significa objetivos, 75

P significa problemas, 76-77

A significa abstinência, 77-81

M significa *mindfulness*, 81-84

I significa insight, 84-85

N significa novos passos, 85-86

E significa experimento, 86-88

dopamina, jejum de, 73-88

contraindicações para, 80-81

e problemas psiquiátricos concomitantes, 81

e retirada, 84

homeostase como objetivo do, 79, 88

insights adquiridos no jejum de dopamina, 84-85

passos do (veja estrutura de DOPAMINA),

Douthat, Ross, 40-41

dor

acolhendo a (veja pressionando o lado sofrimento)

adicção a, 151-158, 214

batimentos cardíacos em seguida a exposição a, 138-140

busca do prazer como fonte de, 67-69, 214

capacidade para tolerar, 68

crescente incidência de dor física, 50

crônica, 58, 66, 125, 145-146

diminuição da sensibilidade à, 138

e mudança de paradigma em torno da, 43-44

e ponto de ajuste hedônico, 138

e respostas de cães a choques elétricos, 138-140

e tolerância a medicamentos para dor, 58

efeitos da abundância na experiência da, 68

emocional, 83-84

intolerância a formas leves de, 45

naltrexona no tratamento da, 145-146

opioides piorando a, 58, 124-125

percepção da, 66-67

prazer sentido com a, 66

prevalência generalizada da, 48-50

processamento neural da, 9-10

veja também balança prazer-sofrimento

drogas e uso de drogas

e balança prazer-sofrimento, 57

e diminuição da sensibilidade para recompensas, 58-59

e envolvimento religioso, 197-198

e mudanças epigenéticas, 27

e polifármacos, 29

impacto do exercício em, 142-144

incidência de doenças atribuídas a, 35

moderação como objetivo, 86-88, 105-107

overdoses de, 25-26

potência das, 27-29

sugestões associadas com 61

drogas digitais, 29-30

drogas psiquiátricas, 43-44, *veja também* medicamentos; *drogas específicas*

"drunkalogues", 174

Dunnington, Kent, 10

Durogesic fentanil, 25-26

Dutto, Vince, 32-33

DXM, 29

ecstasy, 111, 135

educação, níveis de, 35

El Capitán, escalada de Honnold no, 150-151, 156-157

eletroconvulsivo, terapia de choque (ECT), 146-148

emoções

impactos de drogas psicotrópicas nas, 125

tolerar dolorosas, 83-84

usar comida/drogas para lidar com, 193-194, 194-196

empatia, 199

endocanabinoides, 153

entretenimento, necessidade de, 45

epinefrina, 142

epinegéticas, mudanças, 27

Epstein, Mark, 179-180

erva. *Veja* cannabis,

escassez

adaptações neurológicas para, 9, 68

mentalidade da, 181-183

Espanha, 44

esportes, apostas em, 108

esportes extremos, 155-157

Ésquilo, 177

esquizofrenia, 124

Estados Unidos

incidência de doenças atribuídas a adicção nos, 35

prevalência de sintomas de humor/ansiedade nos, 124-125

prevalência de dor registrada nos, 49

estimulantes,
 adicção a, 124
 impacto na capacidade de aprender, 65-66
 taxas crescentes de prescrição de, 44
estratégias categóricas para
 autocomprometimento, 107-114
 deificação e demonização, 110-111
 dieta, 109-110
 e símbolos de repressão, 112-113
 experiência de pacientes com, 107-109
 limitações das, 109-110
estratégias cronológicas para autocomprometimento, 99-107
 e fenômeno da desvalorização por atraso, 100-103
 e tempo de lazer e tédio, 103-105
 experiências de pacientes com, 105-107
 monitorar tempo gasto consumindo, 100
 sobre, 99
estratégias físicas para autocomprometimento, 92-99, 112
 cirurgias para perda de peso, 97-99
 cofre de cozinha, 94
dissulfiram como meio de, 96-97
 e experimento de marshmallow de Stanford, 111-112
 experiências de pacientes com, 92-94
 limitações das, 93-94, 96-97

naltrexona como meio das, 95-96
exercício, 142-144, 152-157
experiências, valor de contar, 166-167
experimentação na estrutura DOPAMINA, 86-88
experimento do marshmallow de Stanford, 111-112, 181
expressão genética e mudanças epigenéticas, 27

"falso self", 179-180
farmacêutica, indústria, 123
farmacoterapia, 95-96, 145-146, *veja também* medicamentos
fatores de risco para adicção, 25-29
felicidade, 39-40
fentanil, 28, 29
fenda sináptica, 51-52
fibromialgia, 146
Finucane, Tom, 68
fluoxetina, 44, 124, 126
França, 49
Friedman, Daniel, 76
Freud, Sigmund, 41
futuro, confiança no, 182-183
fumar *veja* cigarros e nicotina

gastrectomia tubular, 97-98
gástrica, banda, 97-98
glúten, produtos sem, 109-110
"God Within", teologia, 40-41
Goethe, Johann Wolfgang von, 56
Going on Being (Epstein), 179-180
gratificação adiada,

e estratégias físicas para autocomprometimento, 112

e experimento do marshmallow de Stanford, 111-112, 181

e fenômeno da desvalorização por atraso, 100-103, 105-106

efeito de promessas quebradas em, 181

mentalidade plena vs mentalidade da escassez, 182,183

prejudicada pela sobrecarga de dopamina, 100, 183

gratificação imediata, 102, *veja também* gratificação adiada

gregos antigos, 135

Hatcher, Alexandrea, 129

Hebb, Donald, 168

hedônico, ponto de ajuste, 57, 138

hedonismo, 42, 59-60

Hering, Ewald, 56

heroína,

e desenvolvimento do oxicodona, 110

e fenômeno da desvalorização por atraso, 101

e naltrexona como meio de autocomprometimento, 95-96

experiências de pacientes com, 28, 120

impacto de acesso no uso da, 100

origens da, 27-28

hepática, doença, 35

hibernação, 136-137

hidrocodona, 25, 28, 58

hidromorfona, 28

hiperconsumo compulsivo

criando barreiras para (*veja* autocomprometimento)

custos ecológicos do, 36

e ciclo da vergonha, 198, 199

e honestidade radical, 161-168

e moderação no uso de droga, 87-88

e perda da voluntariedade, 91-92

e tempo de lazer e tédio, 103-104

e trabalho maçante, 159

efeito na vinculação humana, 170

pobreza como fator de risco para, 35-36

promoção da internet de, 33

hipnóticos, 124

hipocampo, 68

Hipócrates, 144-145

Hof, Wim, 135

homeostase no cérebro

abstinência necessária para, 79

como objetivo de jejum de dopamina, 88

e balança prazer-sofrimento, 54-56

e capacidade da dor de desencadear prazer, 137-139

e terapia de choque eletroconvulsivo, 147

incapacidade de conseguir, 122

restabelecimento, na ausência de drogas, 61

usando medicamento para restaurar, 122-129, 214

honestidade, 161-190

como algo doloroso, 167

como esforço diário, 190

como prevenção, 183-189

conexões íntimas promovidas por, 171-174, 208, 214

conscientização cultivada por, 166-171, 214

contágio da, 180-183

e ciclo da vergonha, 199-200

ensinando crianças, 189-190, 206-208

mecanismos neurobiológicos da honestidade, 167-168

papel da, na recuperação, 162-165

responsabilização provocada por, 174-180

Honnold Alex, 150-151, 156-157

horizontes temporais, encolhimento dos, 101-102

hormese, ciência da, 140-144

Hung, Lin, 172

Huxely, Aldous, 45

Iannaccone, Laurence, 202-203

Iannelli, Eric J., 104-105

idade

e tempo exigido para reconfigurar circuitos de recompensa, 80

e vulnerabilidade a consequências negativas, 77-78

Igreja de Jesus Cristo dos Santos dos Últimos Dias, 109

igualdade, 35-36

igualdade de classe, 35-36

igualdade racial, 35

imergindo na vida, 212-213, 214

incerteza, 63-64

indiferença, 173

Inglaterra, 124

Islândia, 44

insônia, 60, 124

internet

e abuso sexual, 32-33

e chats, 32

e drogas digitais, 29-30

e o potencial de adicção da tecnologia, 30

hiperconsumo compulsivo provocado por, 24-25, 33

vídeos "virais" (contagiosos) na, 33

irritabilidade como sintoma de retirada (abstinência), 60

isolamento, 173, 198

Itália, 49

Japão

e explosão atômica, 149

prevalência de dor relatada no, 50

taxas de felicidade do, 49

jejum, 141-142

jejum intermitente, 141-142

jogos de azar

e naltrexona como meio de autocomprometimento, 95

e perseguição de perda, 63-64

estratégias categóricas para adicção a, 108

online, 29

patológicos, 63,64

juntar dados na estrutura DOPAMINA, 74-75

Jurek, Scott, 156

juventude, 76-77, 80, 143

Kant, Immanuel, 114

Kimmel, Jimmy, 142

Klonopin, 80

Koob, George, 60, 100

Kramer, Peter, 125

lazer, aumentando a quantidade de tempo de, 103-105

Lei Seca, 26

"Leisure, Luxuries and the Labor Supply of Yung Men", 104

Leste Asiático, 95-96

Leste Europeu, 35

Levin, Ed, 128

Linnet Jakob, 63

Liu, Xiang, 145

lorazepam, 47, 48

LSD, 29, 111

Lutero, Martinho, 138

maconha medicinal, 110

Malenka, Rob, 66, 172

Manual de diagnóstico e estatístico de transtornos mentais (DSM-5), 63

maratona de programas e séries, 48

marshmallow, experimento em Stanford, 111-112, 181

masturbação, 18-20, 30-32

McClure, Samuel, 102

Medicaid, beneficiários do, 128

medicamentos,

como meio de controle social, 127-128

drogas psiquiátricas, 43-44

e falta de autocuidado básico, confundida com doença mental, 46-48

e mudança de paradigma em torno da dor, 44

experiências de pacientes com, 38-39, 46-48

impactos na experiência emocional, 125-126

prescritos para crianças, 127

questões da eficácia dos, 124-126

risco de adicção a, 123

usados para restaurar a homeostase, 122-129, 214

veja também medicamentos específicos

medo, aumento de tolerância ao, 150-151

Meijer, Johanna, 154

Melencolia 1 (Dürer), 16

memórias de prazer/dor, 67

mentalidade de fartura vs mentalidade de escassez,

mentira e dissimulação,

das crianças, 161

e ensino da honestidade às crianças, 206-207

e mentalidade de escassez, 195-196

experiências de pacientes com, 162-165

hábito da, 165

mecanismos neurobiológicos da, 167

média de mentiras contadas por adultos, 162

no reino animal, 162

quebra de promessas, 181-182

metafísica dos costumes, A (Kant), 114

metanfetamina

impacto de acesso no uso de, 99-100

impacto na capacidade de aprendizagem, 65-66

liberação de dopamina produzida por, 53

metilfenidato, 44, 125, 127

mídia social

aspectos reforçadores de incerteza em, 64

e cultura do cancelamento, 210

e mentalidade de escassez, 183

"falso self" retransmitido em, 179

vergonha experienciada em, 210

mindfulness na estrutura DOPAMINA, 81-84

Mischel, Walter, 111

moderação de droga usada como objetivo, 87-88, 105-106

modéstia feminina, 108-109

monoamina, neurotransmissores de, 136

Montagu, Kathleen, 52

morfina, 27

mortalidade, riscos de, 35

mortes,

de desespero, 35-36

fatores de risco para, 35

movimento da contracultura, 111

MXE, 29

nadar perto da Antártida, 156

naloxona, 145-146

naltrexona como meio de autocomprometimento, 95-96

negação, 166-167

Netflix, maratona, 48

neuroadaptação (tolerância), 56-60

neurônios

crescimento neuronal, 136-137

e transmissão de dopamina, 51-52

neurogênese, 142, 153

neurônios pré-sinápticos, 51-52

neurônios pós-sinápticos, 51-52

neurotransmissores, 51-52, 136

New Hospital, na China, 95-96

nicotina. *Veja* cigarros e nicotina

Nietzsche, Friedrich, 148

norepinefrina, 136, 142

Nova Zelândia, 49

núcleo *accumbens*, 53

NXIVM, 205

obesidade e sobrepeso, 35, 97-99

objetivos

e Próximos Passos na estrutura DOPAMINA, 85-86

moderação no uso de droga como, 86-88, 105-107

objetivos da estrutura DOPAMINA, 75

Ohe, Christina G. von der, 136

opioides

capacidade de mudar o cérebro permanentemente, 64-65

cuidados sobre jejuns de dopamina, 80

e buprenorfina, 115

e encolhimento de horizontes temporais, 101-102

e naltrexona como meio de auto-comprometimento, 95-96

e recuperação de cirurgia, 43

e tolerância (neuroadaptação), 56-60

e vontade de ajudar outras pessoas, 173

epidemia de, 25-26

experiências de pacientes com, 119-121

overdoses de, 25-26

piora de dor com, 58, 124

potência dos, 27-28

prescritos aos pobres, 128

prevalência da prescrição a, 44

reconfiguração da balança prazer-sofrimento causada por, 58

riscos de dependência associados a, 27-28

veja também drogas específicas, incluindo heroína

oportunistas, problema com, 202-204, 209

optogenética, 66

Ouvindo o Prozac (Kramer), 125

overtraining, síndrome do, 157

oxicodona, 25, 28, 29, 110

oximorfona, 29

oxitocina, 172

Pascoli, Vincent, 66

paraquedismo em queda livre, 155

parentalidade

e o ensino da honestidade, 189-190, 206-208

e pais com adicção, 26-27

e vergonha pró-social, 206-210

protegendo crianças da adversidade, 41-42

paroxetina, 38

Pavlov, condicionamento (clássico), 61-64

Pavlov, Ivan, 61

PCP, 29

peptídeos opioides endógenos (endorfinas), 142

percepção de cor, 56

Percocet, 29

perda de peso, cirurgias para, 97-99

perseguição de perda, 63-64

pertencimento cultivado por vergonha pró-social, 199, 204-205, 214

Pesquisa Nacional de Entrevista de Saúde, 127

pessoas, lugares e coisas como sugestões, 61

plasticidade dependente de experiência, 64-65

pobreza,

como fator de risco para adicção, 27-28, 35-36, 103

e mentalidade de fartura vs mentalidade de escassez, 182-183

e porcentagens de prescrições de remédios psiquiátricos, 127-128

poder da vontade, limitações do, *veja também* autocomprometimento

polifármacos, 29

pornografia, 24-25, 29, 31

Portugal, 44

Postman, Neil, 45

potência de substâncias adictivas/experiências, 27-29

prática médica moderna, 43-45

prazer

    antecipatório, 62

    busca do, como fonte de dor, 67-69, 214

    capacidade da dor em desencadear, 137-140

    desejos depois do, 56-57

    desfrutando prazeres simples, 60, 81, 213-214

    dor experienciada com, 66-67

    e aprendizagem dependente de sugestão, 61-64

    e circuitos de recompensa no cérebro, 54-55

    e ponto de ajuste hedônico, 57, 138

    e tolerância (neuroadaptação), 56-60

    efeitos da abundância na experiência do, 68

    impacto da exposição prolongada/repetitiva ao, 67

    incapacidade de aproveitar, 59-60

    processamento neural do, 10

    veja também balança prazer-sofrimento

prazeres simples, obtendo alegria de, 60, 81, 213-214

pressão sanguínea, 35

"pressionando o lado do sofrimento" como tratamento para dor, 144-151

    e adicção à dor, 151-158

    e adicção ao trabalho, 159

    e aumento de tolerância à dor, 150-151

    e esportes extremos, 155-157

    e estado de déficit de dopamina, 157

    e exercício, 142-144

    e hormese, 140-144

    e jejum intermitente, 141-142

    e mecanismo homeostático, 137-138

    e terapia da exposição, 148-150

    reconfigurando a balança para o lado do prazer, 137-140, 214

    terapia do frio, 134-137, 151-152, 159-160

prevenção, honestidade como meio de, 183-189

Priessnitz, Vincenz, 135

problemas da estrutura DOPAMINA, 76-77

promessas, mantendo/quebrando, 181-182

psicodélicos, 111

psicoterapia, 166, 177

psilocibina, 111

Pugh, Lewis, 156

quartos de hotel, 24-25

querer, momento de, 10

recaídas

    e Alcoólicos Anônimos, 202, 203, 203-205

    em seguida a períodos de abstinência, 61

recompensas

    diminuição da sensibilidade a, 58-59

distinção antecipação/resposta em, 64

e ciclo de antecipação e desejo, 61-64

e transtornos de jogos de azar, 63-64

imediatas vs, adiadas, 102

memórias codificadas de, 64

motivação para obter, 52

que não se materializam, 62-63

recuperação

e contagiosidade da cura, 181

e criação de novos circuitos sinápticos, 66

e o imaginário de Harry Potter, 213

e vergonha pró-social, 192

motivações para busca, 181-182

papel da abstinência na, 214

papel da honestidade na, 161, 162,165, 166, 169

recursos em ambientes pobres/ricos, 103

recursos naturais, 96

reino animal, dissimulação no, 162

Relatório de Felicidade Mundial, 49-50

religião e organizações religiosas

e bens de clube, 201-202

e modéstia feminina, 108-109

rigidez em, 203

teologia da Nova Era da moderna, 40-41

vergonha vivenciada em, 197-198

resistência, atletas de, 157

responsabilidade pessoal, 174-178

responsabilização

autobiografias sinceras, 174-180

e vergonha pró-social, 201

restrição calórica, 142

retirada

ansiedade mediada pela retirada, 81-82

cuidados com risco de vida, 80

de hábitos de leitura, 170

e jejum de dopamina, 80, 84

e recaída levada pela disforia, 60

sintomas universais de, 60

reza, 90-91

Rieff, Philip, 40

Ritalina, 125

Robbers, Yuri, 154-155

roda de corrida de roedores, 152-155

Rosenwasser, Alan, 152-154

Ruff, Christian, 167-168

ruminações, 211

Rússia, 35

Schuckit, Marc, 79-80

sedentário, estilo de vida, 35, 143

Segunda Guerra Mundial

bombardeios atômicos no Japão, 141

soldados feridos na, 67

sensibilização, 64-65

Serenity (filme), 129

seringas hipodérmicas, 27

serotonina, 136, 142

Sertürner, Friedrich, 27

sexo

como atividade física, 144

liberação de dopamina efetuada por, 53

Sherwin, C. M., 154

significado, o sentido do, 207-208

sirenas (sereias), de *Ulisses* de Homero, 92-93, 166

skydiving, 155

smartphones

adicção a, 87-88

como dispositivo de entrega para conteúdo aditivo, 9

movimentos físicos repetitivos associados a, 143-144

Sócrates, 139-140

Solomon, Richard, 56

Sprenger, Christian, 145

substâncias demonizadas, deificação de

Suécia, 44, 128

sugestões

aprendizagem dependente de sugestão, 61-64

associadas ao uso de droga, 61

suicídios, 35-36

Suíça, 50

Sullivan, Edie, 66

Sydenham, Thomas, 43

tabaco, uso do. *Veja* cigarros e nicotina

Taussig, Helen, 140

tédio, 46, 103-104

tempo, limites de *veja* estratégias cronológicas para autocomprometimento.

teoria do processo-oponente, 56

teoria do sacrifício e do estigma (Iannaconne), 203

terapia de exposição, 148-160

terapia do frio, 134-137, 151-152, 159-160

terapias heroicas, 145

tolerância (neuroadaptação), 56-60

trabalho

adicção a, 158-159

participação reduzida na força de trabalho, 104

trabalhos braçais, 158-159

transcraniana, estimulação de corrente direta (tDCS), 167

transtorno de ansiedade generalizado (TAG), 38, 49

transtorno do déficit de atenção (TDA)

e uso de anfetaminas para tratar, 53

estimulantes prescritos para, 44

experiência de paciente com, 38

questões sobre eficácia de medicamentos para, 126

transtorno de humor, sintomas de, 124-125

transtornos psiquiátricos

ejuns de dopamina, 80-81

e vulnerabilidade para adicção, 66

trauma e agitação social, 27, 41-42

Triumph of the Therapeutic, The (Rieff), 40

trocando uma adicção por outra, 80-81, 98

Twitter, 33

Ulisses (Homero), 92-93, 166

ultramaratona, 156

Universidade Carolina, em Praga, 136

Universidade de Rochester, 181

Vale do Silício, 158

Valium, 80

ventral tegmental, área, 53

verdadeiro self, 179

vergonha, 191-209

dicotomia vergonha-culpa, 191-192

e Alcoólicos Anônimos, 198-205

e honestidade mútua, 208

e organizações religiosas, 196-197

e recuperação, 192

experiências destrutivas da, 192-198

experiências da vergonha pró-social, 192, 198-206

função positiva da, 199, 214

parentalidade com vergonha pró-social, 205-209

pertencimento cultivado pela vergonha pró-social, 200, 204-205, 214

vestimenta modesta, 108-109

vida dupla, 19

video games

online, 29

representando atividade física, 143

sintomas de retirada dos, 80

tempo de lazer gasto em, 104

"virais" (contagiosos), vídeos na internet, 33

vítima, narrativas de, 174-178

Volkow, Nora, 58-59, 79

voluntária, escolha, 91-92

vulnerabilidade, expressar, 200

Watson, Gretchen LeFever, 125

Winnicott, Donald, 179

Wood, Alexander, 27

Xanax, 80

zolpidem, 47-48, 121, 124, 193, 195

Este livro foi composto com tipografia Adobe Garamond Pro e
impresso em papel Off-White 70 g/m² na Formato Artes Gráficas.